초등학생을 위한

표준 한국어

국립국어원 기획 | 이병규 외 집필

학습 도구

3~4학년

초등학생을 위한

표준 한국어

국립국어원 기획 | 이병규 외 집필

학습 도구

3~4학년

마리북스

발간사

다문화가정 학생 수는 매년 증가하여 2018년 12만여 명에 이릅니다. 그런데 중도입국자녀나 외국인 가정 자녀와 같은 다문화 학생들은 학령기 학생에게 기대되는 한국어 능력 수준에 이르지 못하는 경우가 많습니다. 이는 다문화 학생이 교과 학습 능력을 갖추지 못하거나 또래 집단 문화에 적응하지 못하는 결과로 이어지고, 결국 한국 사회에 안정적으로 정착하는 데 어려움을 겪는 주요한 원인이 됩니다. 따라서 다문화 학생을 위한 교육 지원은 보다 전문적이고 체계적으로 이루어져야 합니다.

학령기 한국어 학습자를 위한 정부 지원은 교육부에서 2012년에 '한국어 교육과정'을 개발하여 고시하였고, 국립국어원에서 교육과정을 반영한 학교급별 교재를 개발하면서 본격적으로 이루어졌습니다. 그 후 '한국어 교육과정'이 개정·고시(교육부 고시 제2017-131호)되었습니다. 이에 국립국어원에서는 2017년부터 개정된 교육과정에 따라 한국어 교재를 개발하고 있으며, 그 첫 번째 결과물로 초등학교 교재 11권, 중고등학교 교재 6권을 출판하게 되었습니다. 교사용 지도서는 별도로 출판은 하지 않지만 국립국어원 한국어교수학습샘터에 게시해 현장 교사들이 무료로 이용할 수 있게 하였습니다.

이번 교재 개발에는 언어학 및 교육학 전문가가 집필자로 참여하여 한국어 교육의 전문적 내용을 쉽고 친근하게 구성하기 위해 노력하였습니다. 특히 이 교재는 언어 능력 향상뿐만 아니라 서로 다른 문화를 이해하여, 한국 사회 구성원으로서 정체성을 확립하는 데 도움이 되도록 개발하였습니다.

아무쪼록 《초등학생을 위한 표준 한국어》 교재가 다문화가정 학생들이 한국어를 쉽고 재미있게 배워서 한국 사회에서 자신의 꿈을 키워 나가는 데 도움을 줄 수 있기를 바랍니다.

끝으로 이 교재의 개발을 위해 최선의 노력을 기울여 주신 교재 개발진과 출판사에 깊은 감사의 말씀을 드립니다.

2019년 2월

국립국어원장 소강춘

머리말

2012년 '한국어(KSL) 교육과정'이 고시되면서 초등 및 중등 학습자를 위한 한국어(KSL) 교육은 공교육의 체제 속에서 전개되어 왔습니다. 모어 배경과 문화, 생활 경험과 언어적 환경 등에서 매우 다양한 한국어(KSL) 학습자들은 '한국어(KSL) 교육과정'이 적용된 《표준 한국어》 교재를 배워 왔고 일상생활과 학교생활에 필요한 한국어 능력을 길러 왔습니다. 이제 학교에서의 한국어(KSL) 교육은 새로운 도약을 목전에 두고 있다고 할 수 있습니다. 지난 2017년에 '한국어(KSL) 교육과정'이 개정되면서, 개정 교육과정이 적용된 새로운 교재 11권이 세상에 빛을 보게 되었기 때문입니다.

새로 발행되는 《초등학생을 위한 표준 한국어》 교재 편찬에서는 두 가지 원칙을 분명히 하고 있습니다. 첫째, 개정된 교육과정의 관점과 내용 체계, 교재 개발을 위한 기초 연구의 성과 등을 충실하게 반영하는 것입니다. 〈의사소통 한국어〉 교재와 〈학습 도구 한국어〉 교재를 분권하는 것이나 학령의 특수성을 고려한 저학년용, 고학년용 교재의 구분 등은 이러한 맥락에서 실행되었습니다. 또한 교육과정에서 제시한 언어 재료는 주요한 내용 설정의 준거가 되었습니다. 더불어 '내용 모듈화'의 방안을 살려 학습자의 특성과 교육 현장의 필요에 적합한 내용 선택 및 재구성이 가능하도록 하였습니다.

둘째, 초등학생 한국어(KSL) 학습자와 교육 현장을 충분히 이해하고 고려하는 것입니다. 이를 위해 연구 집필진은 초등학생 한국어(KSL) 학습자의 언어 환경, 한국어 학습의 조건과 요구 등을 파악하는 데에 많은 노력을 기울였습니다. 초등학생 학습자의 일상, 학교생활, 교과 수업의 장면을 주제화하고 이러한 주제를 중심으로 필수 어휘와 문법, 표현을 재선정하였습니다. 초등학생들에게 적합한 이미지 중심의 내용 제시, 놀이 활동의 강화, 한글 교육 내용의 특화 등도 강조하였습니다.

개정 《초등학생을 위한 표준 한국어》 교재의 편찬을 위해 많은 관심과 지원을 아끼지 않은 국립국어원 소강춘 원장님을 비롯한 관계자 여러분께 감사드립니다. 고된 작업 일정과 어려운 여건 속에서도 진심과 열정으로 임해 주셨던 연구 집필진 선생님들께, 그리고 마리북스 출판사에도 깊은 감사의 마음을 전합니다.

언어는 사람의 삶, 그 자체입니다. 초등학생 학습자들이 이 책을 가지고 한국어를 배우는 것으로 삶의 큰 기쁨과 힘을 얻기를 바랍니다. 새로운 세상을 열고 새로운 존재로서의 자신을 단단히 깨닫게 되기를 바라는 마음입니다.

2019년 2월

연구 책임자 이병규

일러두기

〈학습 도구 한국어〉 3~4학년군 교재는 초등학교 3학년이나 4학년 학생들이 교과 학습을 수행하는 데 필요한 한국어 능력을 기를 수 있도록 개발되었습니다. 수업에서 자주 쓰는 한국어 어휘와 표현을 배울 수 있도록 하였고, 읽고 쓰는 문식 활동을 충분히 경험하도록 하였습니다. 전체 16단원 중 1단원에서 8단원은 〈의사소통 한국어〉 3권을 배우는 학생들이 선택할 수 있고, 9단원에서 16단원은 〈의사소통 한국어〉 4권을 배우는 학생들이 선택할 수 있도록 연계되어 있습니다. 각 단원마다 학습 주제에 맞는 다양한 학습 도구 어휘를 배울 수 있도록 하였으며, 놀이/협동 활동과 복습 활동은 별도의 차시 내용으로 제시하였습니다.

단원 구성과 교재 활용 방법

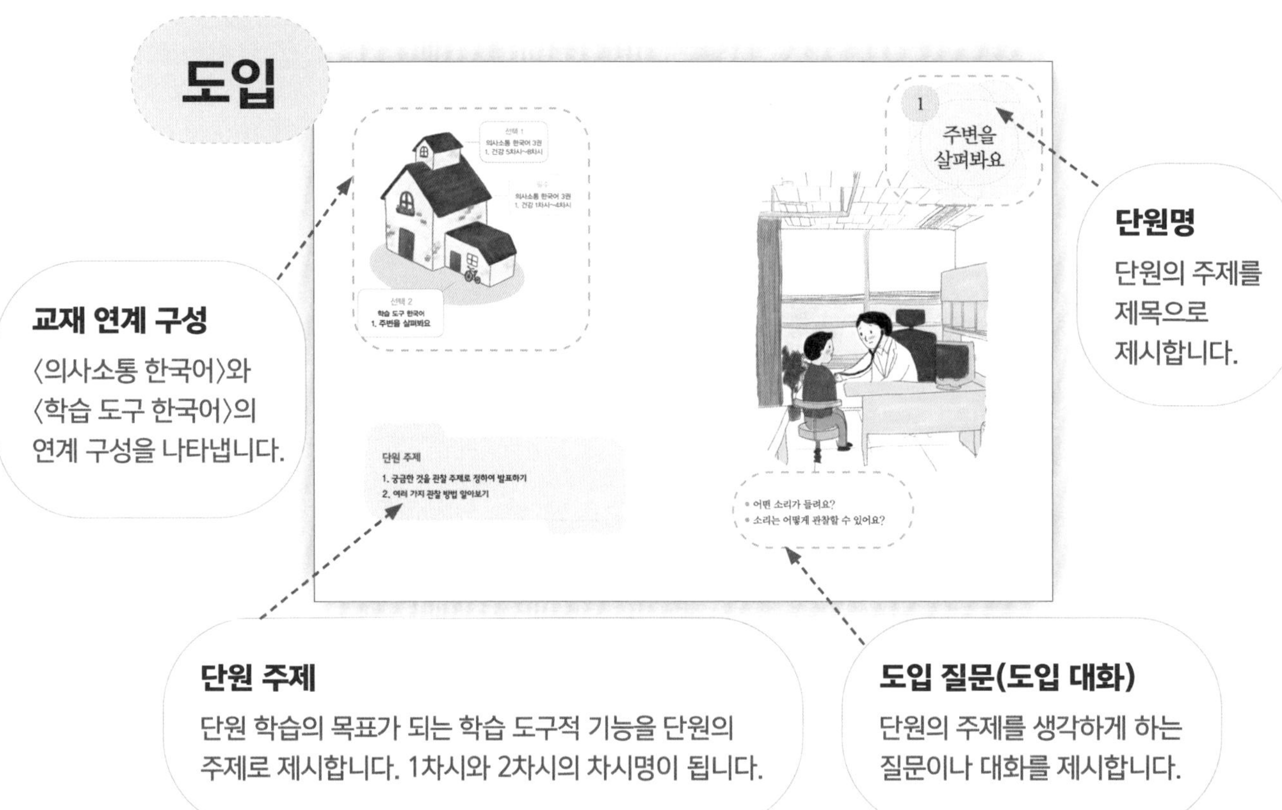

1차시

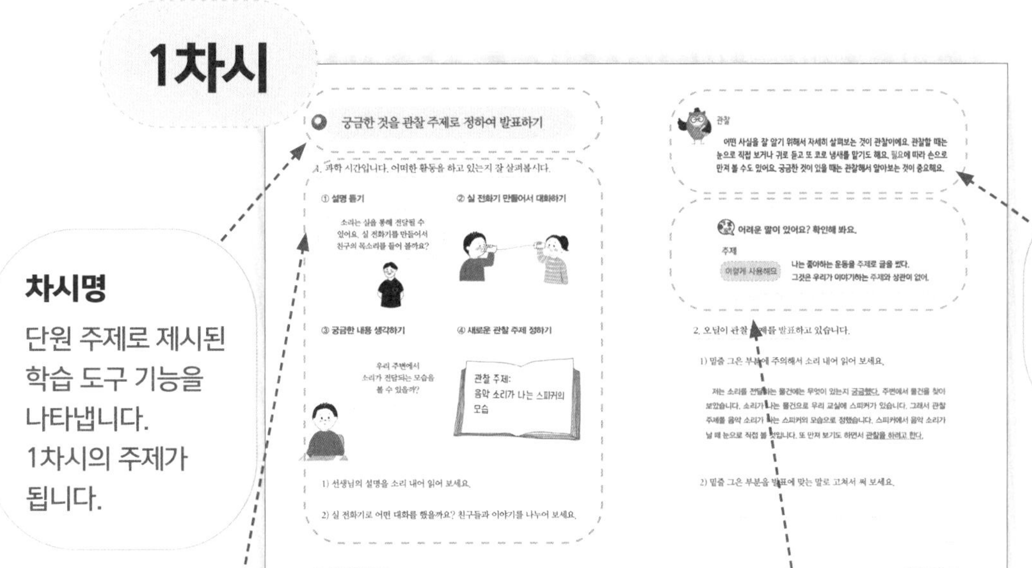

차시명

단원 주제로 제시된 학습 도구 기능을 나타냅니다. 1차시의 주제가 됩니다.

부엉이 선생님

차시 주제에 맞는 주요 학습 개념을 제시합니다.

큰 번호 활동

차시 주제로 제시된 학습 도구 기능을 수행하며 한국어 표현과 어휘를 사용할 수 있도록 합니다.

어휘 용례 확인 활동

큰 번호 활동을 수행할 때 사용하는 어휘들 중 어렵거나 자주 사용되는 어휘들의 용례를 확인합니다. '한국어 교육과정'에서 제시된 학습 도구 어휘들 중에서 주제에 맞게 선별된 어휘들을 배우도록 합니다. 익힘책이 활용됩니다.

2차시

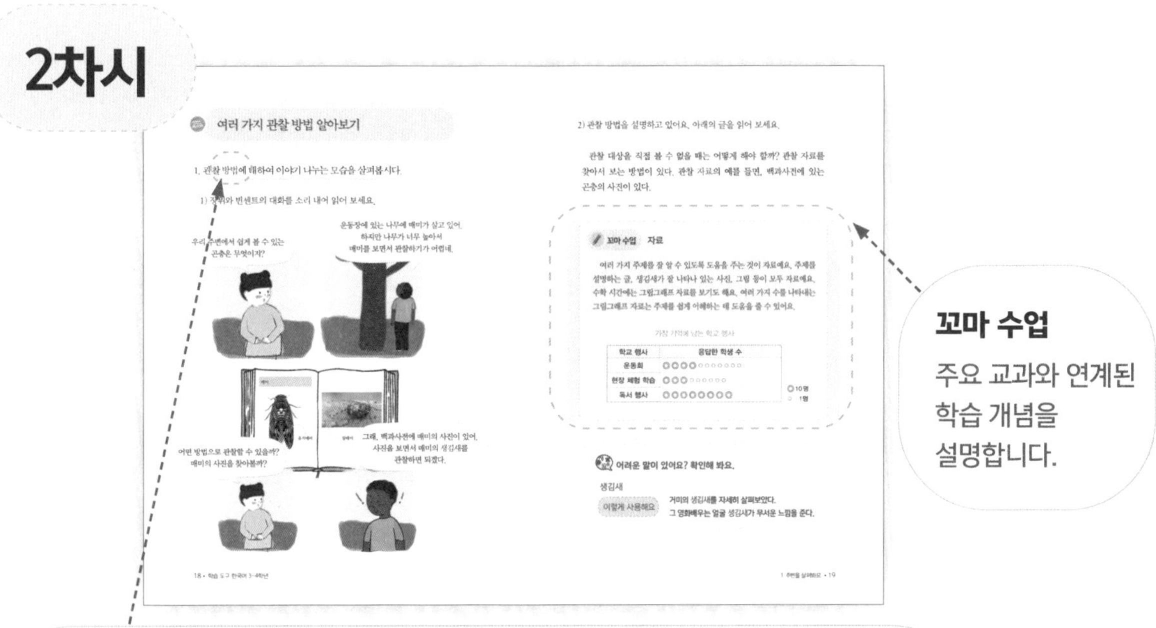

꼬마 수업

주요 교과와 연계된 학습 개념을 설명합니다.

본문의 파란색 표시 어휘

'한국어 교육과정'에서 제시된 학습 도구 어휘들 중에서 주제에 맞게 선별된 어휘들입니다. 큰 번호 활동 중에 선택적으로 어휘 학습이 이루어지도록 합니다. 익힘책이 활용됩니다.

3차시

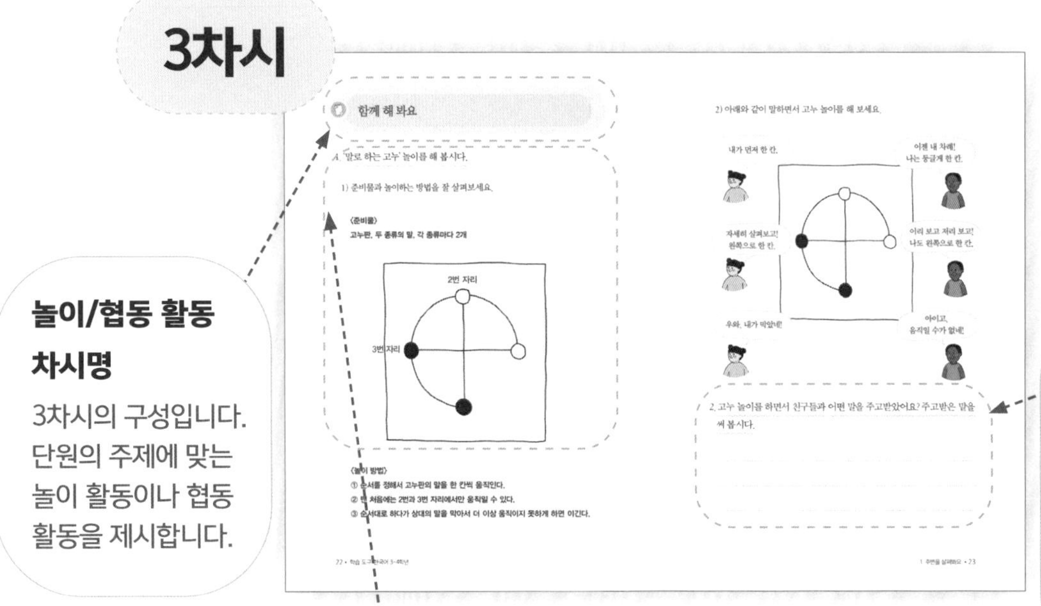

놀이/협동 활동 차시명

3차시의 구성입니다. 단원의 주제에 맞는 놀이 활동이나 협동 활동을 제시합니다.

놀이 활동이나 협동 활동을 안내합니다. 놀이나 협동을 할 때 사용하는 한국어를 제시합니다.

놀이 활동이나 협동 활동을 하며 사용한 한국어를 다시 떠올려 보도록 합니다. 연습 활동을 제시합니다. 필요에 따라 익힘책을 활용합니다.

4차시

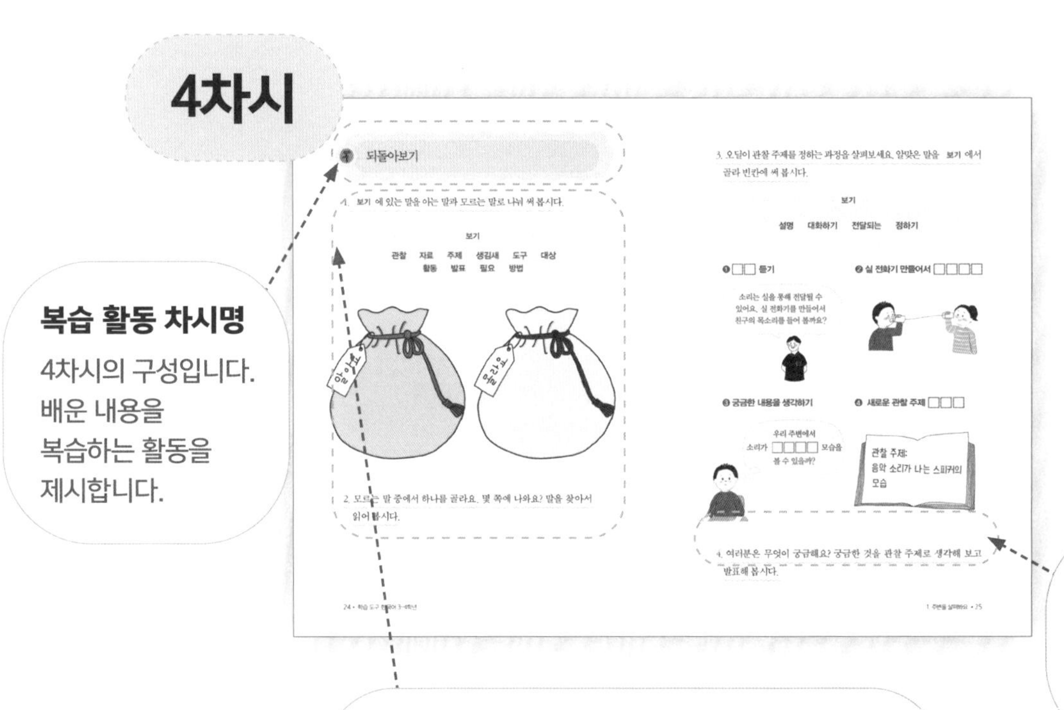

복습 활동 차시명

4차시의 구성입니다. 배운 내용을 복습하는 활동을 제시합니다.

단원에서 배운 어휘와 표현을 다시 떠올리고 사용해 보도록 합니다. 어휘나 표현 학습 활동을 제시합니다.

단원에서 배운 학습 도구적 기능을 다시 떠올리고 수행해 보도록 합니다.

이 책의 특징

◈ 필수 내용과 선택 내용의 구성

《초등학생을 위한 표준 한국어》는 〈의사소통 한국어〉 교재와 〈학습 도구 한국어〉 교재로 나뉘어 있습니다. 〈학습 도구 한국어〉는 〈의사소통 한국어〉 3권이나 4권을 배우는 학생들이 선택하여 사용할 수 있습니다. 교사와 학생은 필요에 따라 〈의사소통 한국어〉 5차시~8차시 내용을 선택하여 공부하거나(선택 내용 1) 학년에 맞는 〈학습 도구 한국어〉를 선택하여 공부하면 됩니다(선택 내용 2).

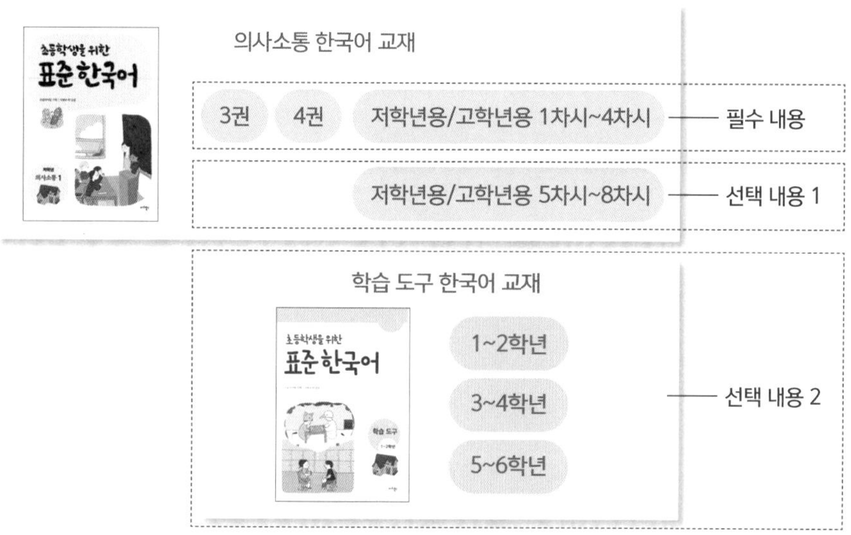

◈ 교과 학습 활동의 바탕을 이루는 한국어 교육 내용의 체계화

〈학습 도구 한국어〉는 초등학교의 학년군별 주요 교과 내용을 중심으로 수업 시간에 자주 사용되는 한국어 어휘와 표현을 제시하고 있습니다. 교과 학습의 주제와 기능을 학년에 맞는 수업 맥락 속에서 경험하고 이해하도록 하였습니다.

◈ 놀이 활동이나 협동 활동의 특화

학년에 맞는 놀이 활동이나 협동 활동을 별도의 차시 내용으로 구성하였으며, 이 과정에서 자연스럽게 한국어 학습이 이루어지도록 하였습니다.

◈ 다양한 어휘 내용의 제시

용례를 제시하거나 개념을 설명하는 별도의 어휘 내용을 구성하였고 교재의 다양한 맥락에서 학습 도구 어휘를 배울 수 있도록 하였습니다. 어휘 내용은 《초등학생을 위한 표준 한국어 익힘책》 교재를 활용하면 더욱 효과적으로 접근할 수 있습니다.

이 책의 구성

단원	단원명	단원 주제	학습 도구 어휘				놀이/협동 활동
			부엉이 선생님	꼬마 수업	용례 제시	선택 어휘	
1	주변을 살펴봐요	1. 궁금한 것을 관찰 주제로 정하여 발표하기 2. 여러 가지 관찰 방법 알아보기	관찰	자료	주제 생김새 도구 대상	필요 발표 방법	'말로 하는 고누' 놀이
2	그럴 줄 알았어	1. 낱말의 뜻을 생각하며 글을 읽기 2. 추리한 것을 말하기	추리	어림	짐작 어떠하다 파악 비추다	뜻 긋다 (밑줄을) 내용	'숫자를 찾아요' 놀이
3	먼저 계획해요	1. 글로 쓸 내용을 적은 계획표 알아보기 2. 조사할 내용을 적은 계획표 살펴보기	글쓰기 계획	강의 상류와 강의 하류	계획을 세우다 경험 조사 다양하다 주의	느낌 떠올리다 물살 주변 알아보다	묻고 답하기 놀이
4	같으면서 달라요	1. 공통점과 차이점을 찾는 활동 이해하기 2. 차이점을 확인하며 사물을 살펴보기	특징	물질의 성질	공통점 차이점 비교 쓰임새	이동 수단 유리 사용 특징 재료	주사위 놀이
5	의견을 나누어요	1. 수학적 문제 해결하기 2. 문제점을 찾아 해결하기	토의	직사각형	구하다 해결 문제점 제시 의견을 나누다	풀다 교통수단 이용	'짝꿍을 찾아라' 인터뷰 놀이
6	수행 평가 하는 날	1. 여러 가지 방법으로 평가하기 2. 수행 평가 과정 익히기	수행 평가		되돌아보다 고르다 과정 범위 나타나다 태도	평가 준비 단원 정리	미니북 만들기 활동
7	책을 읽고 난 후	1. 이어질 내용 상상하기 2. 독서 기록장 쓰기		독서 기록장	이어지다 감동적 재미있다 바꾸다 꾸미다	이야기 상상 활동	'이야기 만들기' 놀이
8	끼리끼리 모아요	1. 기준에 따라 분류하기 2. 분류의 방법으로 내용 간추리기	분류	고체, 액체, 기체	기준 분류 관련 있다 간추리다	완성 간단 메모	'분류 판을 채워라' 놀이

9	관찰하고 설명하고	1. 그림지도 보고 메모하기 2. 화석 사진 보고 설명하기	관찰과 메모	그림지도 화석 관찰 도구	설명 모양 활동 남다	위치 표시 특징	'설명 듣고 알아맞히기' 놀이
10	알아맞히기	1. 인물의 마음 짐작하기 2. 그림 보고 예상하기	인물의 마음 짐작하기	촌락과 도시	발생 바탕 발달	순서 연습 예상 결과 표현 주제 연결	'열 고개' 놀이
11	조사한 것을 써요	1. 명절 조사하기 2. 조사하는 글 쓰기	조사하는 글	양력과 음력	자료 기록 정하다 작성	조사 명절	'친구 명함 만들기' 놀이
12	비교해서 알아요	1. 물체의 무게를 비교하여 말하기 2. 여러 가지 모습을 비교해서 살펴보기	비교	양팔 저울	실험 비슷하다 변화 다르다 달라지다	무게 여러 가지 모습 생활	'같아요, 달라요' 놀이
13	부분으로 나누어 보면	1. 자료를 부분으로 나누어 살펴보기 2. 글을 부분으로 나누어 읽기	분석	짜임새	구별 연결 역할 구분	자료 부분 나누다 소개 전체	'누구게?' 놀이
14	함께 생각해요	1. 작품을 보고 의견 말하기 2. 의견이 적절한지 생각해 보기	평가	회의	장단점 적절하다 판단 고려	만들다 찾다 좋은 점 관련 있다 실천	'생활 속 보물찾기' 놀이
15	이렇게 해결해요	1. 과학적 문제 해결하기 2. 해결 방법을 제안하는 글 쓰기	문제 해결 과정	제안	분리 결과 떠올리다 효과적 까닭	성질 과정 어울리다 이유 겪다 제시	'문제 해결 왕' 놀이
16	나의 꿈	1. 미래의 나 상상하기 2. 상상하는 글 쓰기	상상하는 글	여러 가지 일기	미래 상상 실현	사례 내용 형식 생각 그물	'상상의 동물 만들기' 놀이

등장인물

준서(한국)
서영(한국)
타이선(베트남)
장위(중국)
빈센트(케냐)
솜푸(태국)
다니엘(필리핀)
유키(일본)
오딜(우즈베키스탄)
엠마(독일)
자르갈(몽골)
안찬원 선생님
강수연 선생님

차례

발간사 ········· 4
머리말 ········· 5
일러두기 ········· 6
등장인물 ········· 12

1. 주변을 살펴봐요 ········· 14
2. 그럴 줄 알았어 ········· 26
3. 먼저 계획해요 ········· 38
4. 같으면서 달라요 ········· 50
5. 의견을 나누어요 ········· 62
6. 수행 평가 하는 날 ········· 74
7. 책을 읽고 난 후 ········· 86
8. 끼리끼리 모아요 ········· 98
9. 관찰하고 설명하고 ········· 110
10. 알아맞히기 ········· 122
11. 조사한 것을 써요 ········· 134
12. 비교해서 알아요 ········· 146
13. 부분으로 나누어 보면 ········· 158
14. 함께 생각해요 ········· 170
15. 이렇게 해결해요 ········· 182
16. 나의 꿈 ········· 194

정답 ········· 206
어휘 색인 ········· 218

단원 주제

1. 궁금한 것을 관찰 주제로 정하여 발표하기
2. 여러 가지 관찰 방법 알아보기

1 주변을 살펴봐요

- 어떤 소리가 들려요?
- 소리는 어떻게 관찰할 수 있어요?

궁금한 것을 관찰 주제로 정하여 발표하기

1. 과학 시간입니다. 어떠한 활동을 하고 있는지 잘 살펴봅시다.

① 설명 듣기

소리는 실을 통해 전달될 수
있어요. 실 전화기를 만들어서
친구의 목소리를 들어 볼까요?

② 실 전화기 만들어서 대화하기

③ 궁금한 내용 생각하기

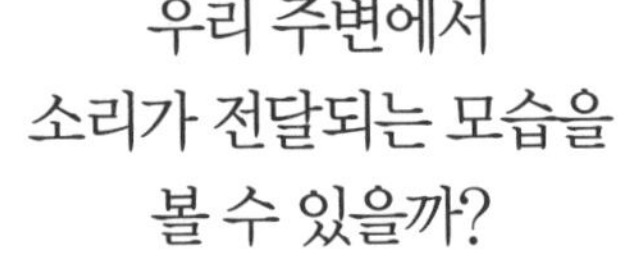

④ 새로운 관찰 주제 정하기

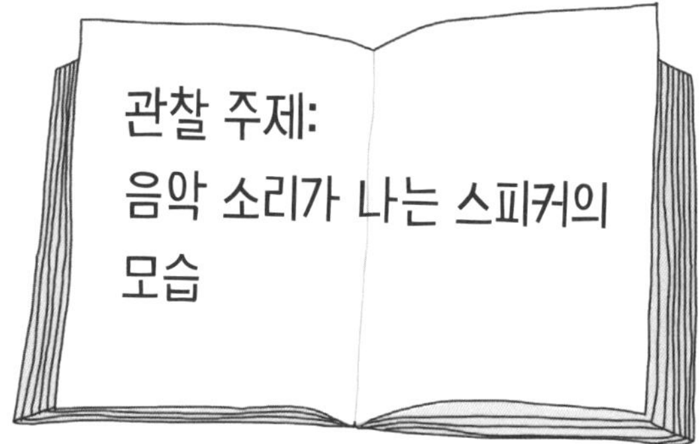

1) 선생님의 설명을 소리 내어 읽어 보세요.

2) 실 전화기로 어떤 대화를 했을까요? 친구들과 이야기를 나누어 보세요.

관찰

어떤 사실을 잘 알기 위해서 자세히 살펴보는 것이 관찰이에요. 관찰할 때는 눈으로 직접 보거나 귀로 듣고 또 코로 냄새를 맡기도 해요. 필요에 따라 손으로 만져 볼 수도 있어요. 궁금한 것이 있을 때는 관찰해서 알아보는 것이 중요해요.

어려운 말이 있어요? 확인해 봐요.

주제

이렇게 사용해요

나는 좋아하는 운동을 주제로 글을 썼다.
그것은 우리가 이야기하는 주제와 상관이 없어.

2. 오딜이 관찰 주제를 발표하고 있습니다.

1) 밑줄 그은 부분에 주의해서 소리 내어 읽어 보세요.

저는 소리를 전달하는 물건에는 무엇이 있는지 <u>궁금했다.</u> 주변에서 물건을 찾아 보았습니다. 소리가 나는 물건으로 우리 교실에 스피커가 있습니다. 그래서 관찰 주제를 음악 소리가 나는 스피커의 모습으로 정했습니다. 스피커에서 음악 소리가 날 때 눈으로 직접 볼 것입니다. 또 만져 보기도 하면서 <u>관찰을 하려고 한다.</u>

2) 밑줄 그은 부분을 발표에 맞는 말로 고쳐서 써 보세요.

여러 가지 관찰 방법 알아보기

1. 관찰 방법에 대하여 이야기 나누는 모습을 살펴봅시다.

1) 장위와 빈센트의 대화를 소리 내어 읽어 보세요.

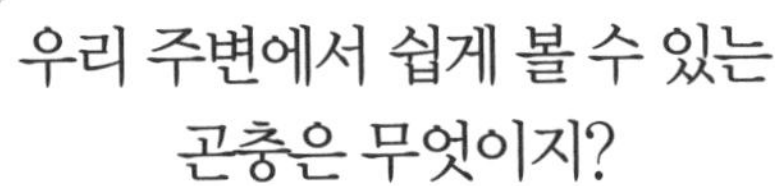

2) 관찰 방법을 설명하고 있어요. 아래의 글을 읽어 보세요.

관찰 대상을 직접 볼 수 없을 때는 어떻게 해야 할까? 관찰 자료를 찾아서 보는 방법이 있다. 관찰 자료의 예를 들면, 백과사전에 있는 곤충의 사진이 있다.

꼬마 수업 자료

여러 가지 주제를 잘 알 수 있도록 도움을 주는 것이 자료예요. 주제를 설명하는 글, 생김새가 잘 나타나 있는 사진, 그림 등이 모두 자료예요. 수학 시간에는 그림그래프 자료를 보기도 해요. 여러 가지 수를 나타내는 그림그래프 자료는 주제를 쉽게 이해하는 데 도움을 줄 수 있어요.

가장 기억에 남는 학교 행사

학교 행사	응답한 학생 수
운동회	◎◎◎◎○○○○○○○○
현장 체험 학습	◎◎◎○○○○○○○
독서 행사	◎◎◎◎◎◎◎◎

◎10명
○ 1명

어려운 말이 있어요? 확인해 봐요.

생김새

이렇게 사용해요

거미의 생김새를 자세히 살펴보았다.
그 영화배우는 얼굴 생김새가 무서운 느낌을 준다.

2. 도구를 사용하여 관찰하는 방법을 알아봅시다.

1) 그림을 설명하는 글을 소리 내어 읽어 보세요.

돋보기는 작은 크기의 관찰 대상을 자세히 살펴볼 때 사용하는 도구이다.

청진기는 작은 소리를 들을 때 사용하는 도구이다. 청진기는 병원에 가면 쉽게 볼 수 있다.

어려운 말이 있어요? 확인해 봐요.

도구

이렇게 사용해요

연필은 글씨를 쓸 때 사용하는 도구이다.
이 운동은 고무줄과 같은 도구를 사용한다.

대상

이렇게 사용해요

꽃을 대상으로 그림을 그렸다.
과학 시간에 식물의 줄기가 관찰 대상이 되었다.

2) 나무를 관찰하며 장위와 빈센트가 대화를 나누고 있어요. 내용을 잘 살펴보면서 (   ) 안에 알맞은 말을 넣어 말해 보세요.

여러 가지 무늬가 있네.
아주 작은 무늬도 있어.
(   ) 관찰할 수 있겠어.

그래, 돋보기를 사용하면
작은 무늬를 볼 수 있지.

나무에서도 소리가 날까?
청진기를 대면 아주 작은 소리도
들을 수 있겠지?

의사 선생님처럼 (   )
아주 작은 소리도 들을 수 있어.
와, 재미있는데.

3) 관찰 대상과 관찰 도구를 선으로 이어 보세요.

아주 작은 크기의 관찰 대상을 볼 때	●	●	청진기
아주 작은 소리를 관찰 대상으로 할 때	●	●	돋보기

함께 해 봐요

1. '말로 하는 고누' 놀이를 해 봅시다.

1) 준비물과 놀이하는 방법을 잘 살펴보세요.

〈준비물〉

고누판, 두 종류의 말, 각 종류마다 2개

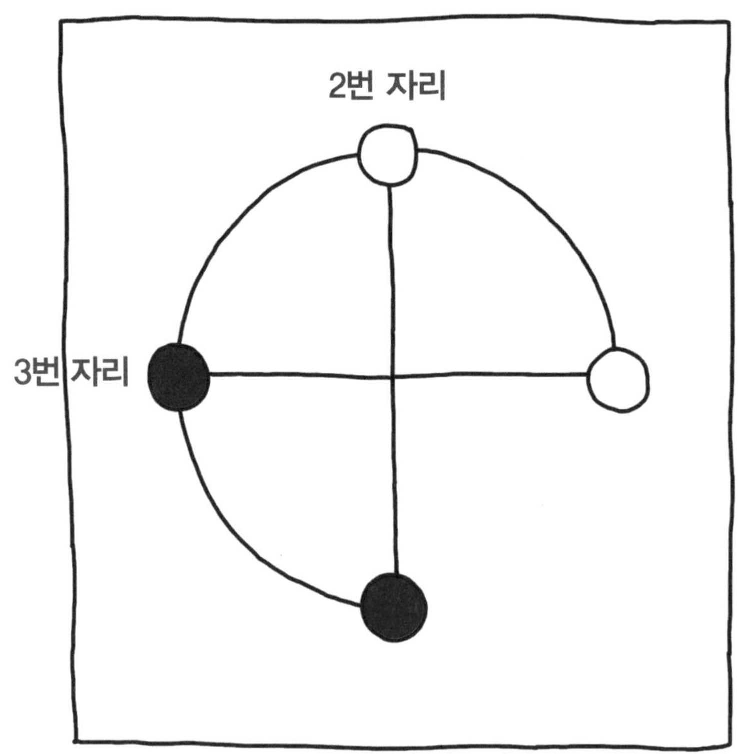

〈놀이 방법〉

① 순서를 정해서 고누판의 말을 한 칸씩 움직인다.

② 맨 처음에는 2번과 3번 자리에서만 움직일 수 있다.

③ 순서대로 하다가 상대의 말을 막아서 더 이상 움직이지 못하게 하면 이긴다.

2) 아래와 같이 말하면서 고누 놀이를 해 보세요.

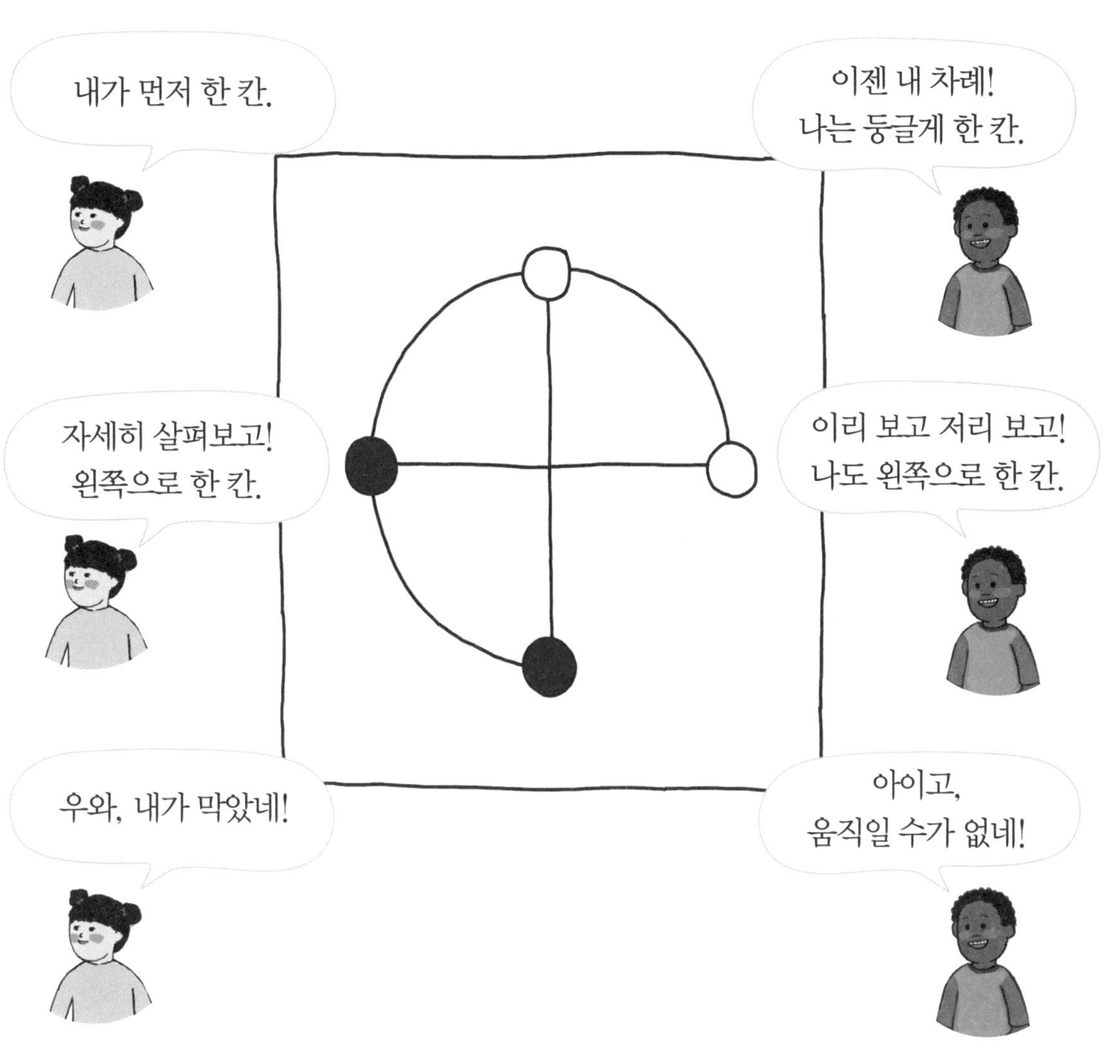

2. 고누 놀이를 하면서 친구들과 어떤 말을 주고받았어요? 주고받은 말을 써 봅시다.

되돌아보기

1. 보기 에 있는 말을 아는 말과 모르는 말로 나눠 써 봅시다.

보기

관찰 자료 주제 생김새 도구 대상
활동 발표 필요 방법

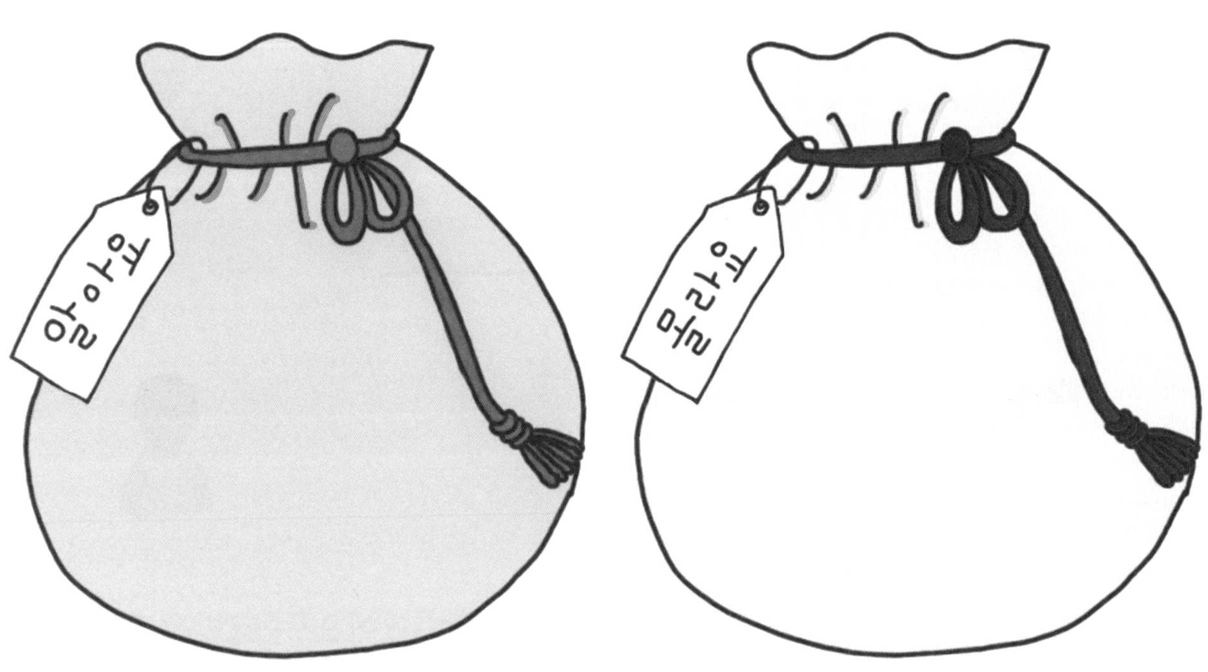

2. 모르는 말 중에서 하나를 골라요. 몇 쪽에 나와요? 말을 찾아서 읽어 봅시다.

3. 오딜이 관찰 주제를 정하는 과정을 살펴보세요. 알맞은 말을 **보기** 에서 골라 빈칸에 써 봅시다.

보기

설명　　대화하기　　전달되는　　정하기

❶ □□ 듣기

소리는 실을 통해 전달될 수 있어요. 실 전화기를 만들어서 친구의 목소리를 들어 볼까요?

❷ 실 전화기 만들어서 □□□□

❸ 궁금한 내용을 생각하기

❹ 새로운 관찰 주제 □□□

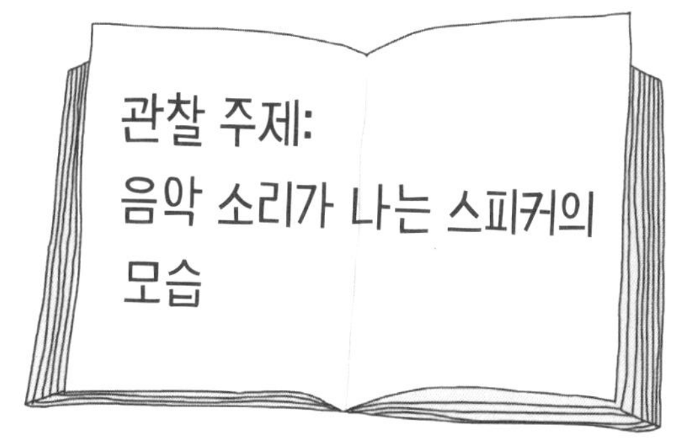

4. 여러분은 무엇이 궁금해요? 궁금한 것을 관찰 주제로 생각해 보고 발표해 봅시다.

단원 주제

1. 낱말의 뜻을 생각하며 글을 읽기
2. 추리한 것을 말하기

2

그럴 줄 알았어

우리 반 독서왕
30권 촘푸
20권 다니엘 서영
10권 엠마

와, 우리 반 독서왕은 촘푸야.
그럴 줄 알았어. 촘푸는 취미가 독서라고 해. 그래서 나는 촘푸가 책을 많이 읽었을 것이라고 예상하고 있었어.

낱말의 뜻을 생각하며 글을 읽기

1. 글을 읽을 때 낱말의 뜻을 짐작하는 모습을 살펴봅시다.

1) 촘푸는 책을 읽으며 문장에 밑줄을 긋고 있어요. 소리 내어 읽어 보세요.

2) 촘푸와 선생님의 대화를 잘 살펴보세요.

선생님, 발언은 무슨 뜻이에요?

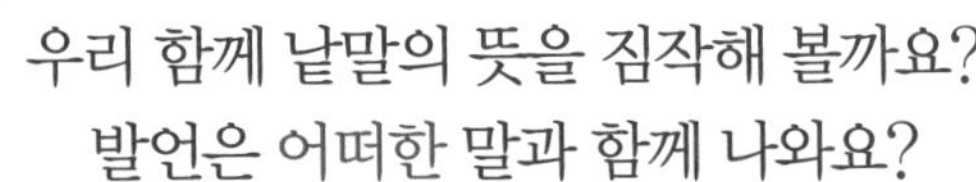

"발언을 듣기 시작했다."라고 했어요.

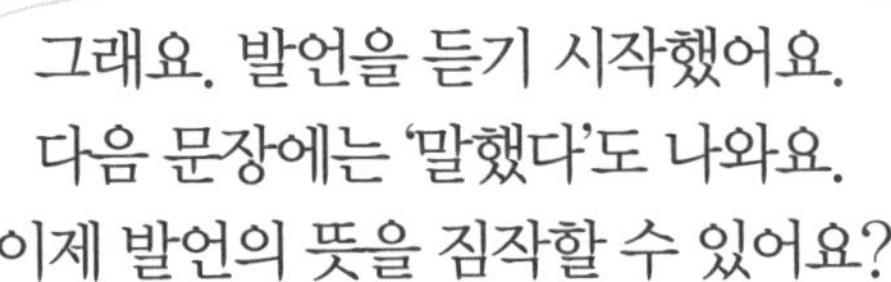

3) 촘푸가 발언의 뜻을 짐작해서 말하고 있어요. ( )를 채워 말해 보세요.

발언의 뜻은 (   )일 것 같아요. 왜냐하면 "발언을 듣는다."라고 했어요. 그리고 '말했다'도 나와요.

어려운 말이 있어요? 확인해 봐요.

짐작

이렇게 사용해요

주인공의 마음을 짐작하기 어렵다.
숨겨진 내용을 짐작하면서 글을 읽었다.

어떠한(어떠하다)

이렇게 사용해요

운동과 건강은 어떠한 관계가 있을까?
이곳에 어떠한 위험이 있는지 알 수 없다.

2. 낱말의 뜻을 국어사전에서 찾아봅시다.

1) 국어사전에 나오는 내용을 살펴보세요.

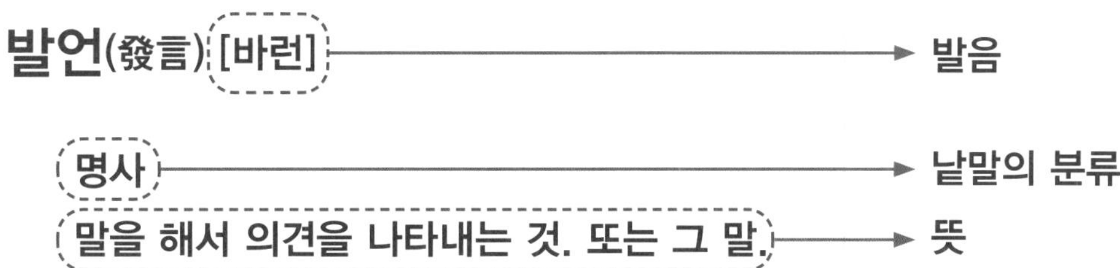

2) 국어사전의 내용을 보고 발언의 뜻을 써 보세요.

추리한 것을 말하기

1. 무슨 일이 생긴 것인지 추리를 하는 모습을 살펴봅시다.

무슨 일이 있었던 것일까?

아, 내가 추리를 할 수 있어.
우리 집 개 뽀삐가 창문으로
뛰어나간 것이 틀림없어.

추리

무슨 일이 있었는지, 누가 어떤 일을 했는지 등을 짐작하는 것이 추리예요. 추리를 할 때는 내가 본 것, 경험한 것, 알고 있는 것 등을 모두 잘 생각해 봐야 해요.

2. 엠마가 추리를 하는 방법이에요. 소리 내어 읽어 봅시다.

① 자세히 살펴보며 상황 파악하기

창문이 열려 있어.
화분은 떨어져서 깨져 있어.
조금 떨어진 곳에
개의 발자국이 있네.

② 겪은 일이나 아는 내용에 비추어 보기

전에도 그런 적이 있었어.
뽀삐는 할아버지를 좋아해.
그래서 할아버지를 찾아
뛰어다닐 때가 많아.

 **어려운 말이 있어요? 확인해 봐요.**

파악

이렇게 사용해요

인원 파악이 모두 끝났다.
지금까지 파악된 이유는 다음과 같다.

비추어(비추다)

이렇게 사용해요

여러 가지 사실에 비추어 보았다.
그의 행동에 비추어 보면 그는 범인이 아니다.

3. 촘푸가 추리를 하는 모습을 살펴봅시다.

1) 촘푸가 잠시 방에서 나간 사이에 일어난 일이에요. 함께 추리해 보세요.

2) 촘푸의 생각을 살펴보세요.

① 자세히 살펴보며 상황 파악하기	흙이 묻어 있어. 그리고 막대 모양이야. 길이는 어림하면 5cm쯤 되는 것 같아. 공책 옆에 필통이 하나 있네.
② 겪은 일이나 아는 내용에 비추어 보기	찰흙이 묻은 것 같아. 동생이 찰흙으로 막대를 만들고 있었어. 필통은 동생의 것이야.

3) 촘푸가 추리한 내용을 말하고 있어요. 촘푸의 생각을 보면서 알맞은 문장을 써 보세요.

동생이 방에 들어와서 찰흙 막대를 내 공책 위에 두었던 것이 틀림없어. 왜냐하면

꼬마 수업 **어림**

수학 시간에는 무게를 어림하거나 길이를 어림해서 말해요. 무게나 길이 등이 어떠한지 이유를 생각해서 짐작해 보는 것이 어림이에요.

4. 바닷가 모래사장에서 아래와 같은 발자국을 봤어요. 무슨 일이 일어난 것인지 추리한 것을 발표해 봅시다.

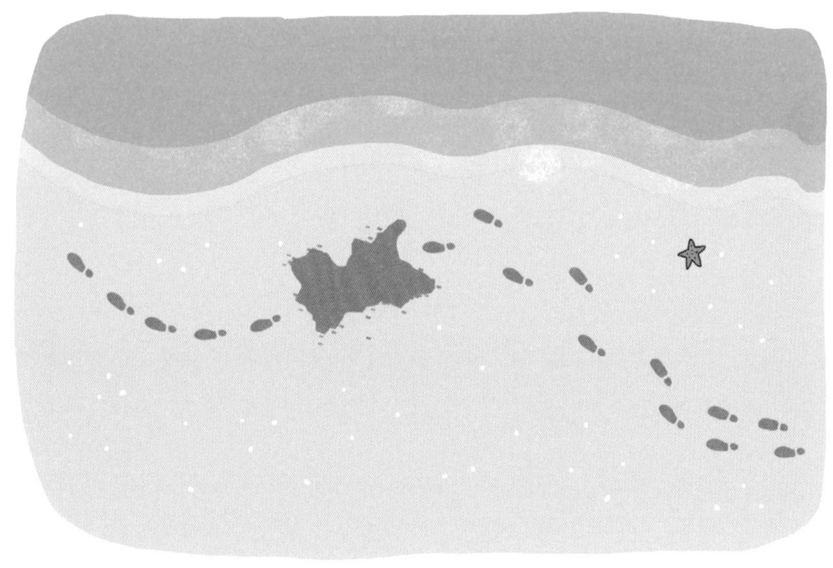

함께 해 봐요

1. '숫자를 찾아요' 놀이를 해 봅시다.

여러 가지 숫자가 있어요.
물음표 칸에는 어떤 숫자를 넣어요?
우리 함께 숫자를 찾아요.

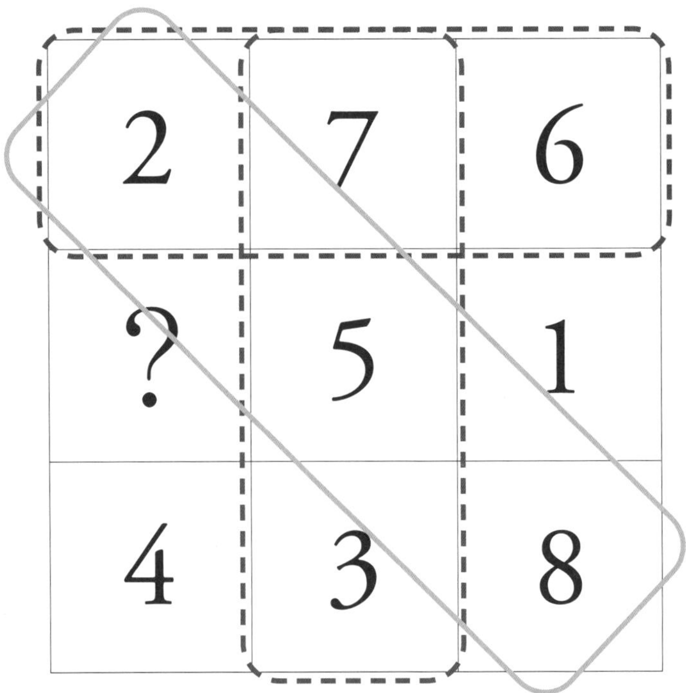

2	7	6
?	5	1
4	3	8

먼저 가로줄에 있는 숫자들을 더해 보세요.
다음으로 세로줄에 있는 숫자들을 더해 보세요.
마지막으로 대각선에 있는 숫자들을 더해 보세요.
더한 값이 얼마예요?
더한 값은 모두 같아요.

이제 다른 숫자들을 보세요.
가로와 세로, 대각선의 숫자들을 각각 더한 값이 모두 같아야 해요.
물음표 칸에는 어떤 숫자를 넣어야 해요?
우리 함께 숫자를 찾아요.

8	1	6
3	?	?
4	?	?

2. 여러분은 어떻게 숫자를 찾았어요? 숫자를 찾은 방법을 말해 봅시다.

되돌아보기

1. **보기** 에 있는 말을 아는 말과 모르는 말로 나눠 써 봅시다.

보기

추리　어림　비추다　파악　짐작　어떠하다
뜻　밑줄을 긋다　내용　모습

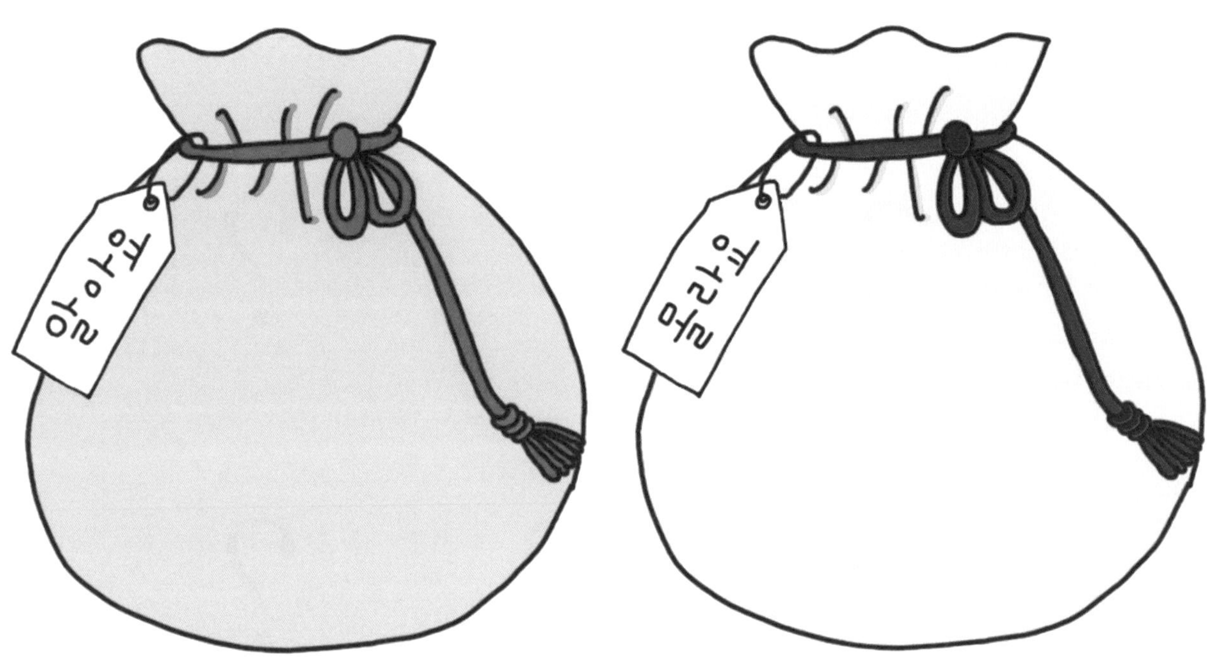

2. 모르는 말 중에서 하나를 골라요. 몇 쪽에 나와요? 말을 찾아서 읽어 봅시다.

3. 낱말의 뜻을 짐작하며 글을 읽어 봅시다.

1) 글을 읽으면서 뜻을 모르는 낱말에 밑줄을 그었어요. 밑줄 그은 낱말의 뜻을 짐작해 보세요.

드디어 주인공이 등장을 하고 무대에 불이 켜졌다. 주인공은 천천히 걸어 나왔다. 사람들은 조용히 무대를 보고 있었다.

모르는 낱말	짐작한 뜻	짐작한 이유
등장		

2) 국어사전에서 모르는 낱말의 뜻을 찾아 써 보세요.

모르는 낱말	국어사전의 뜻
등장	

단원 주제

1. 글로 쓸 내용을 적은 계획표 알아보기
2. 조사할 내용을 적은 계획표 살펴보기

3

먼저 계획해요

오늘 체험 학습에서 있었던 일에 대해 일기를 써 오세요.
일기를 어떻게 써야 할지 모르겠어.
어떤 내용을 쓸지 먼저 계획을 세워 보자!

글로 쓸 내용을 적은 계획표 알아보기

1. 아래의 글을 읽고 물음에 답해 봅시다.

글을 쓰기 전에 계획을 세우면 어떤 내용을 어떻게 쓸지 생각해 볼 수 있습니다. 체험 학습에서 인상 깊었던 일에 대해 구체적으로 정리하면, 경험한 것을 되돌아볼 수 있고 자신의 느낌도 다시 떠올려 볼 수 있습니다.

글쓰기 계획표

언제	20○○년 ○○월 ○○일
어디에서	경복궁
누구와	우리 반 친구들
무슨 일	경복궁의 대문인 광화문과 왕이 일을 하던 근정전을 보았다.
생각이나 느낌	친구들과 함께 체험 학습을 오니 기분이 좋았다.

1) 글을 쓰기 전에 무엇을 생각해 보아야 하는지 찾아 읽어 보세요.

2) 글쓰기 계획표에 어떤 내용을 정리하면 좋은지 찾아 밑줄을 그어 보세요.

글쓰기 계획

글을 쓰기 전에 계획을 세우면 읽는 사람이 이해하기 쉬운 글을 쓸 수 있어요. 글쓰기 계획을 세울 때는 '왜 글을 쓰는지', '글의 주제는 무엇인지', '글을 읽을 사람은 누구인지' 생각해야 해요.

 **어려운 말이 있어요? 확인해 봐요.**

계획을 세우면(계획을 세우다)

이렇게 사용해요

글을 어떻게 쓸지 계획을 세웠다.

방학 계획을 세울 때는 언제, 무엇을 할지 먼저 생각해 보아야 한다.

경험

이렇게 사용해요

여행을 가서 떡 만들기를 경험했어.

복도에서 뛰다가 넘어졌던 경험이 있어.

2. 그림을 보고 글쓰기 계획표를 완성해 봅시다.

언제	운동회 날
어디에서	학교 운동장
누구와	나(타이선), 다니엘, 준서, 오딜
무슨 일	
생각이나 느낌	크게 소리를 지르고 싶을 만큼 기뻤다.

조사할 내용을 적은 계획표 살펴보기

1. 그림을 살펴보고 물음에 답해 봅시다.

1) 타이선이 조사해 보고 싶은 것은 무엇이에요?

2) 타이선은 조사하기 전에 무엇을 하려고 하는지 찾아 읽어 보세요.

2. 조사 계획표를 살펴보고 물음에 답해 봅시다.

조사 계획표

______________	강 주변의 모습
______________	다양한 자료를 찾아 강 상류와 강 하류 주변의 모습이 다른 이유에 대해 알아보기
조사 기간	20○○년 ○○월 ○○일 ~ ○○월 ○○일
______________	• 강 상류의 모습이 드러난 사진 자료 • 강 하류의 모습이 드러난 사진 자료 • 강 상류와 강 하류의 주변에 관해 설명한 자료
조사 방법	관련된 책이나 사진 찾아보기, 인터넷 검색하기, 어른들께 여쭤보기 등
주의할 점	자료를 어디에서 찾았는지 적기

1) 빈칸에 들어갈 내용을 **보기** 에서 찾아 써 보세요.

보기

조사 목적　　**조사 주제**　　**조사 내용**

2) 어떤 방법으로 조사하기로 했는지 찾아 읽어 보세요.

 꼬마 수업 **강의 상류와 강의 하류**

강이 시작되는 부분을 강의 상류, 강의 아래쪽 부분을 강의 하류라고 해요. 강물은 산에서 바다로 흘러가면서 강 주변의 모습을 서서히 변하게 해요. 강 상류에는 바위가 많고, 강 하류에는 모래가 많아요.

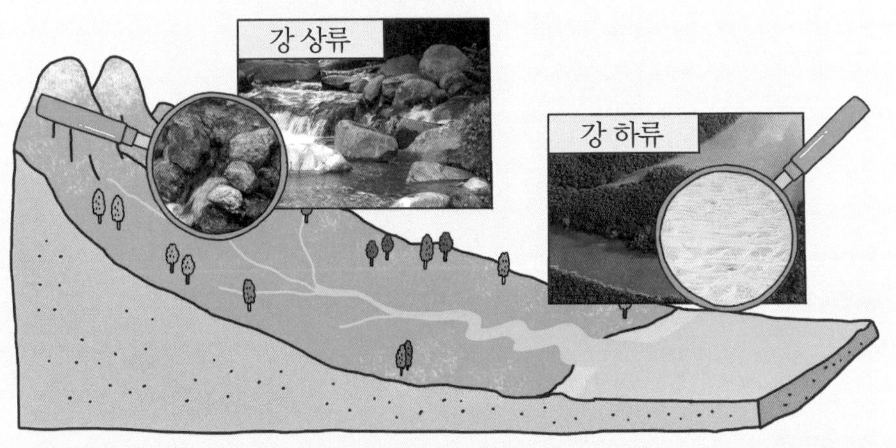

 **어려운 말이 있어요? 확인해 봐요.**

조사

이렇게 사용해요

궁금한 것이 생겼을 때는 조사를 해요.
우리 반 친구들이 좋아하는 음식을 조사했다.

다양한(다양하다)

이렇게 사용해요

사람마다 가지고 있는 생각이 다양해.
다양한 종류의 사탕이 있어서 고르기가 어려워.

주의

이렇게 사용해요

선생님의 말씀에 주의를 집중했다.
과학 실험을 하기 전에 주의할 점을 읽어 보아야 해.

3. 조사한 자료를 보고 조사 계획표를 완성해 봅시다.

조사 계획표

조사 주제	바닷가 주변의 모습
조사 목적	다양한 자료를 찾아 바닷가 주변의 모습에 대해 알아보기
조사 기간	20○○년 ○○월 ○○일 ~ ○○월 ○○일
조사 내용	• ____________ 이/가 있는 바닷가 주변의 사진 자료 • ____________ 이/가 있는 바닷가 주변의 사진 자료 • 바닷가 주변에 관해 설명한 자료
조사 방법	
주의할 점	자료를 어디에서 찾았는지 적기

조사한 자료

바닷물에 모래가 쌓이면 모래사장이 됩니다.

바닷물에 고운 흙이 쌓이면 갯벌이 됩니다.

함께 해 봐요

1. 묻고 답하기 놀이를 해 봅시다.

2. 놀이하면서 말한 내용을 써 봅시다.

되돌아보기

1. 아는 말에 ○표 해 봅시다.

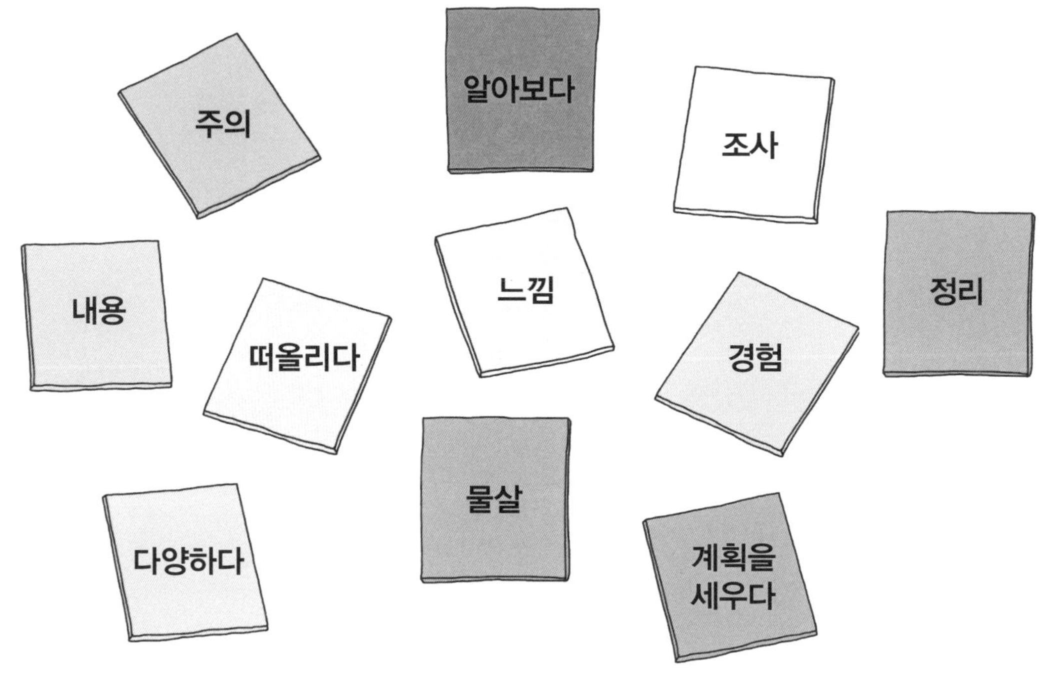

2. 위의 낱말을 사용하여 빙고 놀이를 해 봅시다.

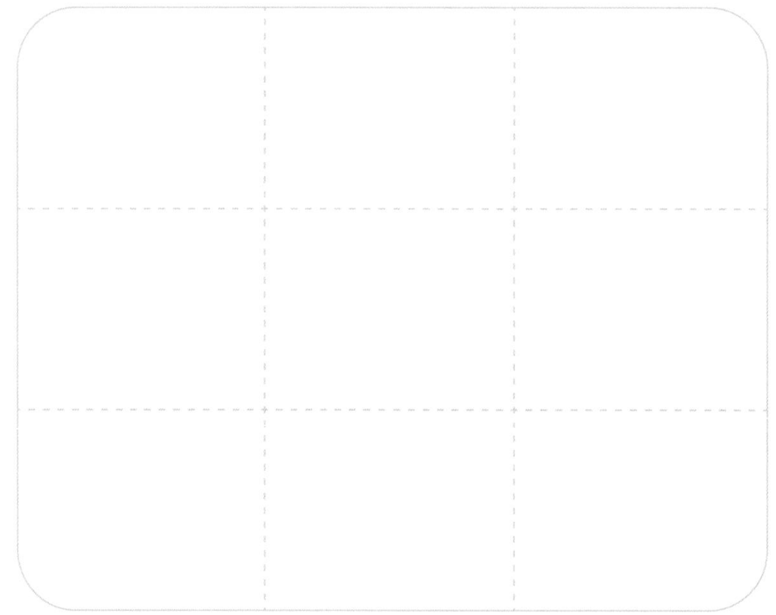

3. **보기** 에서 알맞은 문장을 골라 글쓰기 계획표를 완성해 봅시다.

보기

- **우리 반 친구들과 함께 큰 공 굴리기 놀이를 했다.**
- **큰 공을 굴리는 것이 어려웠지만 친구들과 함께 해서 즐거웠다.**

언제	운동회 날
어디에서	학교 운동장
누구와	우리 반 친구들
무슨 일	
생각이나 느낌	

4. **보기** 에서 알맞은 문장을 골라 조사 계획표를 완성해 봅시다.

보기

- **바닷가 절벽의 모습이 드러난 사진 자료**
- **관련된 책이나 사진 찾아보기, 인터넷 검색하기**

조사 주제	바닷가 주변의 모습
조사 목적	다양한 자료를 찾아 바닷가 주변의 모습에 대해 알아보기
조사 내용	
조사 방법	

단원 주제

1. 공통점과 차이점을 찾는 활동 이해하기
2. 차이점을 확인하며 사물을 살펴보기

4

같으면서 달라요

공통점과 차이점을 찾는 활동 이해하기

1. 다음 내용을 잘 읽고 물음에 답해 봅시다.

타이선, 원 모양이 있는 사물 생각해 왔어?

응, 두발자전거와 외발자전거를 생각해 왔어. 바퀴가 모두 원 모양이야.

두발자전거와 외발자전거?

둘 다 자전거이고, 이동 수단이라는 공통점이 있어.

차이점도 있어. 두발자전거는 바퀴가 두 개이고 핸들이 있는데, 외발자전거는 바퀴가 한 개이고 핸들이 없어.

두발자전거와 외발자전거는 같으면서도 다르구나!

1) 두발자전거와 외발자전거의 공통점을 찾아 밑줄을 그어 보세요.

2) 두발자전거와 외발자전거의 차이점을 찾아 읽어 보세요.

어려운 말이 있어요? 확인해 봐요.

공통점

이렇게 사용해요

장미와 무궁화는 꽃이라는 공통점이 있다.
장위와 나의 공통점은 둘 다 책을 좋아한다는 것이다.

차이점

이렇게 사용해요

사과와 배는 모두 과일이지만 차이점이 많다.
여기 두 벌의 외투는 색깔이 다르다는 차이점이 뚜렷하다.

2. 그림을 자세히 살펴보고, 공통점과 차이점을 써 봅시다.

공통점		
차이점		

차이점을 확인하며 사물을 살펴보기

1. 사진을 자세히 살펴보고, 표에 알맞은 붙임 딱지를 붙여 봅시다. **붙임 딱지**

	유리컵	금속 컵
공통점	[붙임 딱지]	
차이점	[붙임 딱지]	[붙임 딱지]

꼬마 수업 **물질의 성질**

유리와 금속은 서로 다른 성질을 가지고 있어요. 같은 물건이라도 유리컵과 금속 컵처럼 다른 성질을 가진 물질로 만들기도 해요.

2. 표에 정리한 내용을 떠올리며 글을 읽어 봅시다.

유리컵과 금속 컵을 비교하여 살펴봅시다. 유리컵과 금속 컵은 둘 다 컵입니다. 물을 마실 때 사용한다는 공통점도 있습니다.

유리컵과 금속 컵은 차이점도 있습니다. 차이점을 찾아보면 유리컵과 금속 컵의 특징과 쓰임새를 잘 알 수 있습니다. 유리컵은 유리로 만들어 집니다. 유리는 투명하여 안에 무엇이 있는지 쉽게 알 수 있습니다. 금속 컵의 재료는 금속입니다. 금속은 투명하지 않아 안에 담긴 것이 보이지 않습니다.

1) 비교하고 있는 사물을 찾아 ◯표 해 보세요.

2) 두 사물의 공통점을 찾아 밑줄을 그어 보세요.

3) 두 사물의 차이점이 드러난 부분을 찾아 소리 내어 읽어 보세요.

어려운 말이 있어요? 확인해 봐요.

비교

이렇게 사용해요 두 사물을 비교해 보았다.
이 사과는 다른 사과와 비교도 안 될 만큼 맛있다.

쓰임새

이렇게 사용해요 금속은 튼튼해서 쓰임새가 많아.
나무의 쓰임새는 나무의 종류에 따라 다르다.

특징

다른 것에 비하여 특별히 눈에 뜨이는 점을 특징이라고 해요. 사람이나 동물, 사물마다 각각의 특징이 있어요. 유리컵은 투명해서 안에 무엇이 담겨 있는지 쉽게 알 수 있는 특징이 있어요.

3. 축구공과 농구공을 비교하여 써 봅시다.

축구공　　　　농구공

	축구공	농구공
________	• 동그란 공 모양이다. • 운동 경기나 체육 시간에 사용한다.	
차이점		

4. 표에 정리한 내용을 생각하며 글을 완성해 봅시다.

축구공과 농구공

축구공과 농구공을 비교하여 살펴보자. 축구공과 농구공은 모두 동그란 공 모양이다. 그리고 운동 경기나 체육 시간에 사용한다는 공통점이 있다.

축구공과 농구공에는 몇 가지 차이점도 있다.

1) 두 사물의 차이점이 잘 드러났는지 생각하며, 쓴 글을 읽어 보세요.

2) 글을 짝과 바꿔서 읽어 보세요.

함께 해 봐요

1. 주사위 놀이를 해 봅시다.

2. 주사위 놀이를 하면서 사용한 말을 써 봅시다.

시작

공통점
앞으로 1칸!
유리컵 금속컵

차이점
앞으로 3칸!
연필 색연필

공통점
앞으로 2칸!
사자 호랑이

차이점
1개 말하면 앞으로 1칸!
2개 말하면 앞으로 2칸!
유리컵 금속컵

공통점
앞으로 2칸!
연필 색연필

차이점
맞으면 앞으로 2칸!
틀리면 무인도로!
사자 호랑이

차이점
1개 말하면 앞으로 1칸!
2개 말하면 앞으로 2칸!
축구공 농구공

공통점
앞으로 1칸!
두발자전거
세발자전거

공통점
앞으로 1칸!
사과 배

차이점
앞으로 1칸!
두발자전거
세발자전거

차이점
1개 말하면 앞으로 1칸!
2개 말하면 앞으로 2칸!
사과 배

공통점
앞으로 1칸!
축구공 농구공

주사위를 던지는
기회가 1번
사라집니다.

무인도

되돌아보기

1. 배운 낱말을 떠올리며 빈칸을 채워 봅시다.

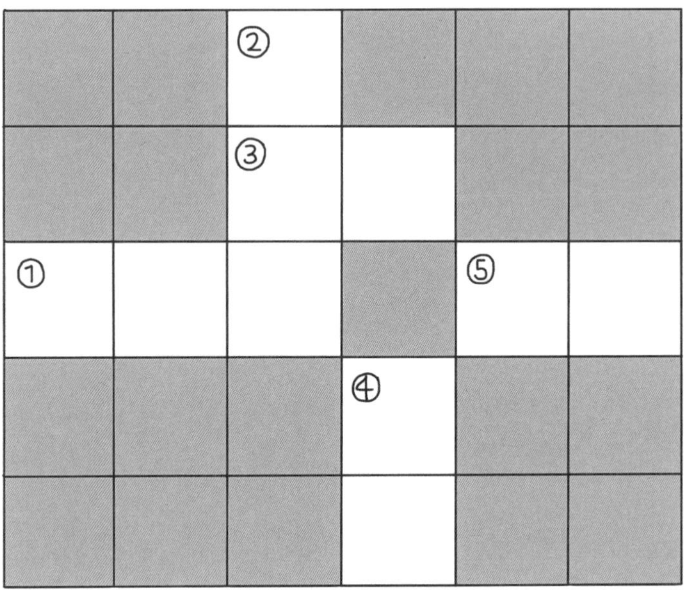

[가로 열쇠]

① 개와 고양이는 모두 동물이라는 ○○○이 있다.

③ 자동차와 자전거는 ○○ 수단이다.

⑤ 다른 것에 비하여 특별히 눈에 뜨이는 점.

[세로 열쇠]

② 귤과 포도는 모두 과일이지만 ○○○을 많이 가지고 있다.

④ 두 사물을 ○○해 보았다.

2. 위의 낱말 중 2개를 골라 각각 문장을 만들어 봅시다.

3. 두 사물을 비교하여 쓴 글을 읽고 틀린 부분을 찾아 고쳐 써 봅시다.

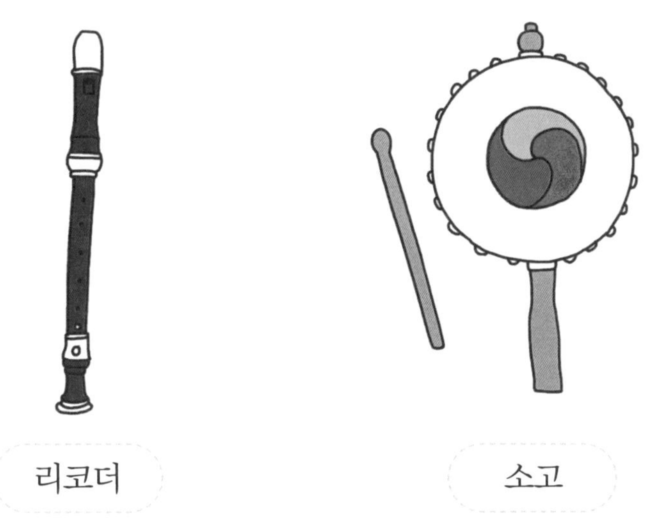

리코더　　　소고

리코더와 소고를 비교하여 살펴봅시다. 리코더와 소고는 둘 다 악기입니다. 연주를 할 수 있다는 차이점도 있습니다.

리코더와 소고는 몇 가지 차이점도 있습니다. 리코더는 플라스틱으로 만들어집니다. 리코더는 손으로 때리거나 채로 쳐서 소리를 냅니다. 소고의 재료는 가죽과 나무입니다. 입으로 불어 소리를 낸다는 점에서 리코더와 공통점이 있습니다.

1) 윗글에서 틀린 부분을 찾아 밑줄을 그어 보세요.

2) 밑줄 그은 부분을 바르게 고쳐 써 보세요.

①

②

③

단원 주제

1. 수학적 문제 해결하기

2. 문제점을 찾아 해결하기

5

의견을 나누어요

이 문제를 해결하려면 우선 2칸짜리 직사각형 조각을 차례대로 놓아야 합니다.
준서야! 친구가 발표하고 있을 때는 잘 들어야 해.

수학적 문제 해결하기

1. 오딜과 엠마가 수학 문제를 풀고 있어요. 읽고 물음에 답해 봅시다.

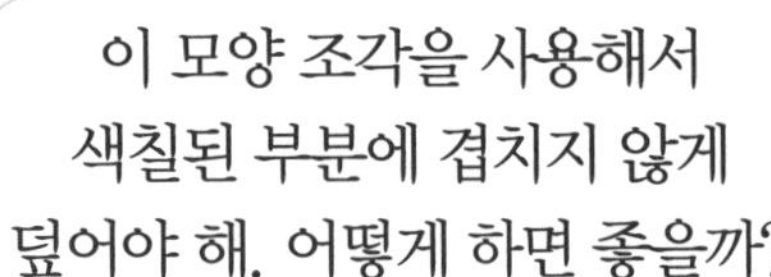

나는 이런 방법으로 답을 구했어.
먼저 2칸짜리 직사각형 조각 6개를
차례차례 놓고, 남은 부분에 3칸짜리
직사각형 조각 1개를 놓는 거야.

1) 구하려고 하는 것은 무엇이에요?

2) 엠마는 어떤 방법으로 문제를 해결하려고 해요?

꼬마 수업 직사각형

네모 모양을 사각형이라고 해요. 직사각형은 네 각이 모두 직각인 사각형이에요. 직사각형 중에 네 변의 길이가 같은 사각형을 정사각형이라고 해요.

어려운 말이 있어요? 확인해 봐요.

구했어(구하다)

이렇게 사용해요

답을 구하려면 어떻게 해야 할까요?
여러 가지 방법으로 답을 구해 보세요.

해결

이렇게 사용해요

친구와의 다툼은 스스로 해결해야 해.
미세먼지 문제를 해결하려면 자동차 매연을 줄여야 해.

2. 문제를 해결하는 과정을 알아봅시다. 수학 문제를 해결할 때 쓰는 표현을 소리 내어 읽어 봅시다.

문제 확인하기	구하려고 하는 것은 무엇인가요?
문제 해결 방법 찾기	어떤 방법으로 문제를 해결하면 좋을까요?
문제 해결하기	생각한 방법으로 문제를 해결해 보세요.
확인하기	바르게 구했는지 확인해 보세요.

문제점을 찾아 해결하기

1. 다음 만화를 보고 오늘날 교통수단의 문제점을 찾아봅시다.

1) 만화의 내용을 소리 내어 읽어 보세요.

2) 자동차는 오늘날에 많이 이용하는 교통수단입니다. 만화를 다시 한 번 읽으면서 제시된 문제점에는 어떤 것이 있는지 써 보세요.

어려운 말이 있어요? 확인해 봐요.

문제점

이렇게 사용해요

이 그림의 문제점을 찾아볼까?
우리가 만든 놀이에 여러 가지 문제점이 드러났어.

제시

이렇게 사용해요

제시된 그림을 다시 한 번 살펴보세요.
회의에서 적극적으로 의견을 제시했다.

3) 다음 중 어떤 방법으로 문제를 해결하면 좋을까요?

2. 문제를 해결하기 위해 토의를 해 봅시다.

1) 장위와 모둠 친구들이 자동차 이용의 문제점을 해결할 방법에 대해 의견을 나누고 있어요. 친구들의 말을 소리 내어 읽어 보세요.

2) 서영이는 어떤 의견을 제시했어요?

3) 장위는 어떤 의견을 제시했어요?

토의

토의란 문제의 해결 방안을 찾기 위해 둘 이상의 사람들이 모여서 정보, 의견, 생각 등을 나누는 의사소통 방법이에요. 토의의 주제는 여러 사람이 함께 생각해 봐야 하고 관심 있는 주제로 정해요.

어려운 말이 있어요? 확인해 봐요.

의견을 나누고(의견을 나누다)

이렇게 사용해요

학예회 공연으로 무엇을 할지 학급 회의에서 의견을 나누어요.

모둠 역할을 정하는 방법에 대해 친구들과 의견을 나누었다.

3. 문제 해결 방법을 정리해 봅시다.

1) 흐린 글씨를 따라 써 보세요.

길이 막히는 문제	를 해결하기 위해	자동차를 이용하지 않는 날을 정해야 해.
자동차 매연 문제	를 해결하기 위해	자전거를 더 많이 이용하는 것이 어떨까?

2) 자동차 이용의 문제점을 해결하기 위한 방법을 더 생각해 보세요.

함께 해 봐요

1. '짝꿍을 찾아라' 인터뷰 놀이 방법을 알아봅시다.

〈놀이 방법〉

① 모든 친구들이 문제 카드 1장, 해결책 카드 1장을 가진다.

② 문제 카드를 들고 돌아다니면서 친구들에게 자신이 가진 문제 카드를 보기 1번과 같이 읽는다.

③ 친구가 읽은 문제 카드에 어울리는 해결책을 가지고 있으면 해결책 카드 내용을 보기 2번과 같이 읽는다.

④ 내가 가진 문제 카드의 해결책을 3가지 이상 찾으면 승리한다.

2. '짝꿍을 찾아라' 인터뷰 놀이를 해 봅시다.

보기

① 문제 카드: 공기 오염
⇒ **공기 오염 문제를 해결하려면 어떻게 해야 할까?**

② 해결책 카드: 자동차 이용을 줄이고 자전거를 이용하기
⇒ **공기 오염 문제를 해결하려면 자동차 이용을 줄이고 자전거를 이용해야 해.**

3. 내가 가진 문제 카드와 찾은 해결책 카드의 내용으로 질문과 해결 방법을 써 봅시다.

〈질문〉

〈해결 방법〉

되돌아보기

1. 서로 어울리는 낱말을 연결하고 따라 써 봅시다.

2. 위의 표현 2가지를 이용하여 짧은 문장을 만들고 발표해 봅시다.

3. 다음 수학 교과서에 들어갈 문장을 붙임 딱지로 붙여 봅시다. 붙임 딱지

도영이는 전망대에서 출발하여 구슬탑에 가려고 합니다. 가장 짧은 거리로 가려면 어느 길로 가야 하는지 알아봅시다.

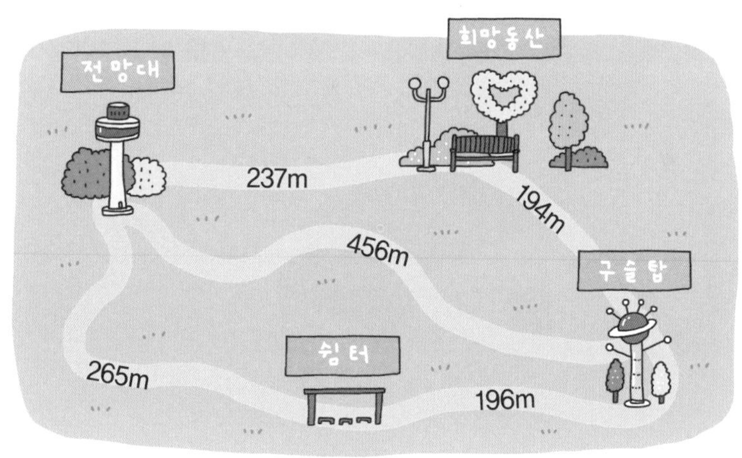

1) [붙임 딱지]

2) 어떤 방법으로 문제를 해결하면 좋을까요?

3) 생각한 방법으로 문제를 해결해 보세요.

4) [붙임 딱지]

4. 다음 문제점을 해결할 방법을 찾아봅시다.

요즘 우리 반 친구들이 자주 지각을 합니다. 이 문제를 어떻게 해결할 수 있을까요?

지각 문제를 해결하려면 (   ).

단원 주제

1. 여러 가지 방법으로 평가하기
2. 수행 평가 과정 익히기

6

수행 평가 하는 날

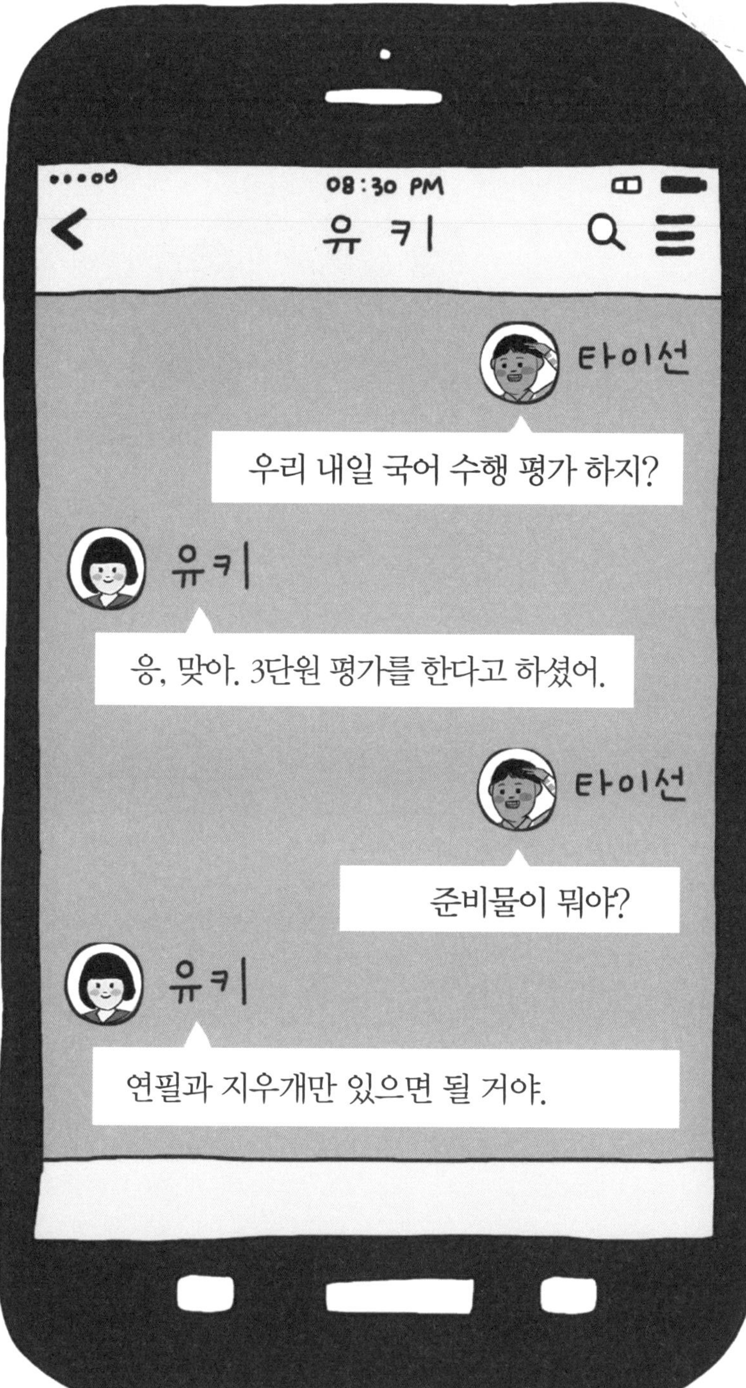

08:30 PM
유 키
타이선
우리 내일 국어 수행 평가 하지?
유키
응, 맞아. 3단원 평가를 한다고 하셨어.
타이선
준비물이 뭐야?
유키
연필과 지우개만 있으면 될 거야.

여러 가지 방법으로 평가하기

1. 그림을 보고 시험지를 풀 때 주의할 점을 알아봅시다.

1) 선생님 말씀을 소리 내어 읽어 보세요.

2) 타이선의 시험지를 확인해 보세요. 타이선이 잊은 것은 무엇이에요?

수행 평가

배운 내용을 확인하는 것을 수행 평가라고 해요. 수행 평가의 방법에는 스스로 평가하기, 선생님께서 평가하기, 평가지(시험지) 풀기, 배운 내용 정리하여 책 만들기 등이 있어요.

 **어려운 말이 있어요? 확인해 봐요.**

되돌아보기(되돌아보다)

이렇게 사용해요

공부한 내용을 되돌아봅시다.
되돌아보니 우리가 아까 실수한 것 같아.

고르세요(고르다)

이렇게 사용해요

알맞은 답을 고르세요.
좋아하는 색깔을 골라서 색칠을 하세요.

2. 여러 가지 평가 방법을 알아봅시다.

내가 높임 표현을
어떻게 사용했지?

		매우 잘함	잘함	보통
스스로 평가하기 (자기 평가)	① 문장을 끝맺을 때 높임 표현을 알맞게 사용한다.			
	② 높임의 뜻이 있는 낱말을 알맞게 사용한다.			
	③ 웃어른께 예의 바른 태도로 말한다.			

친구 작품 평가하기

오딜의 그림이 가을을
잘 표현한 것 같아.

수행 평가 과정 익히기

1. 다음 그림을 보고 수행 평가 전에 준비할 것을 알아봅시다.

1) 다음 주에는 어떤 수행 평가가 있어요?

2) 수행 평가를 본 적이 있어요? 선생님과 함께 이야기해 보세요.

3) 타이선이 유키에게 메시지를 보내 수행 평가의 범위를 물어봐요. 수행 평가의 범위를 묻는 질문에 밑줄을 긋고 소리 내어 읽어 보세요.

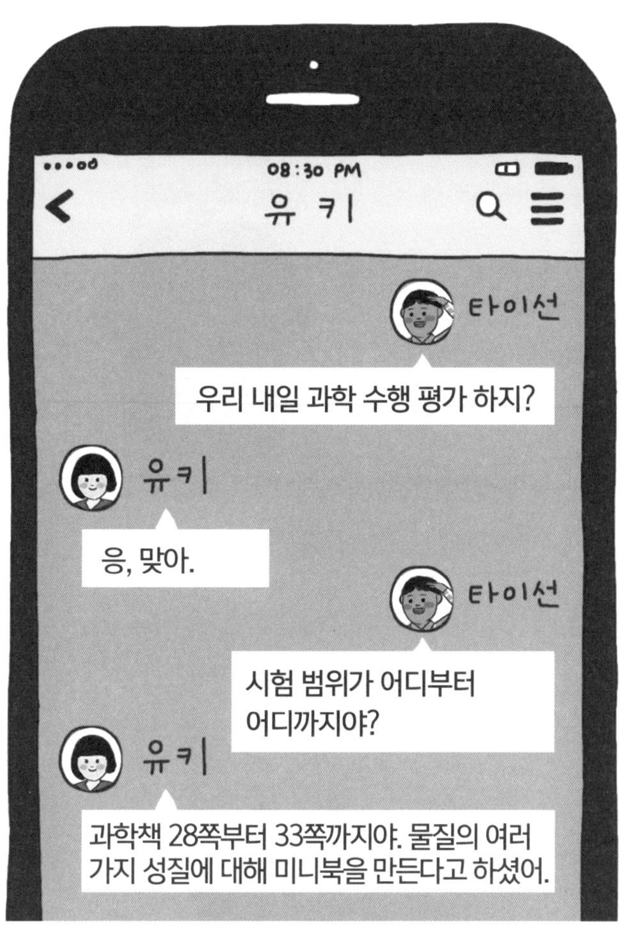

 **어려운 말이 있어요? 확인해 봐요.**

과정

이렇게 사용해요

부모님은 결과보다는 과정이 중요하다고 하셨어.
우리가 우유를 마시기까지 여러 과정을 거쳐요.

범위

이렇게 사용해요

시험 범위는 2~3단원이에요.
삼각자는 활용 범위가 넓어서 수업 시간에 자주 사용해.

2. 수행 평가를 보는 날입니다. 그림을 보고 물음에 답해 봅시다.

1) 선생님의 말풍선과 유키의 생각 구름 속 내용을 소리 내어 읽어 보세요.

2) 내용 정리를 다 하면 무엇을 해야 해요?

3. 수행 평가를 볼 때는 어떤 태도를 가져야 할까요? 다음 그림을 보며 이야기해 봅시다.

평가에 집중하여 최선을 다해요.

친구와 장난치지 않아요.

 **어려운 말이 있어요? 확인해 봐요.**

태도

이렇게 사용해요

민이는 친구들을 대하는 태도가 훌륭해.
오늘 수업 태도가 좋지 않아서 선생님께 혼이 났어요.

나타나게(나타나다)

이렇게 사용해요

시에 내 마음이 나타났어.
주제가 잘 나타나도록 그림을 그려 보세요.

함께 해 봐요

1. 짝과 함께 여러 가지 미니북을 만들어 봅시다.

계단 책 만들기

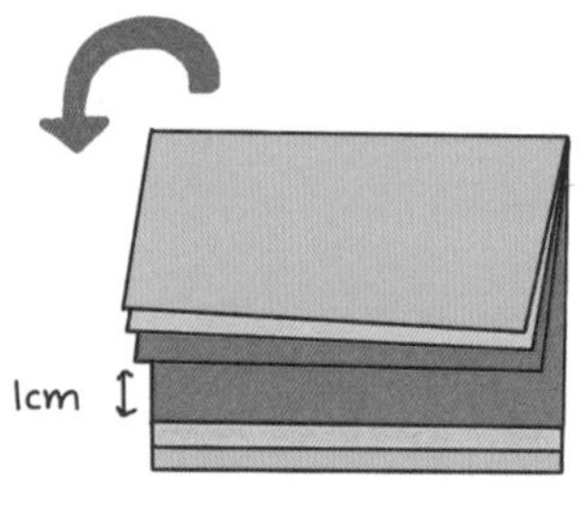

〈만드는 방법〉

① 색깔이 다른 도화지를 3장 준비한다.

② 도화지를 손가락 한 마디 정도씩 보이도록 겹쳐 놓는다.

③ 겹쳐 놓은 상태에서 맨 위 종이를 다시 손가락 한 마디 정도 남도록 접는다.

④ 접은 부분을 스테이플러로 고정한다.

8면 미니북 만들기

① 도화지를 다음과 같이 8칸으로 접는다.

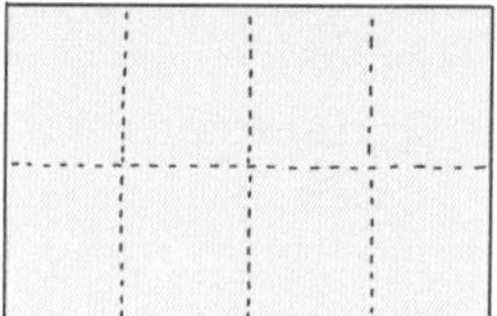

② 다시 반으로 접어 가운데 빨간 줄 부분을 가위로 잘라 준다.

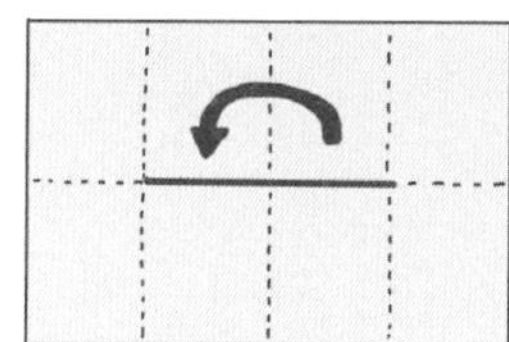

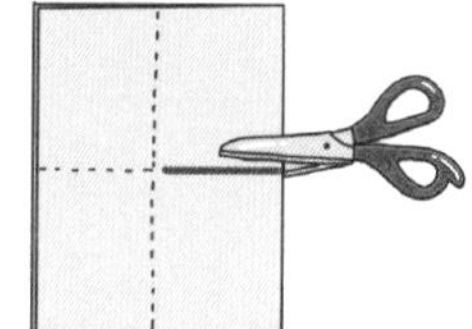

③ 잘린 부분이 열리게 다음과 같이 접는다.

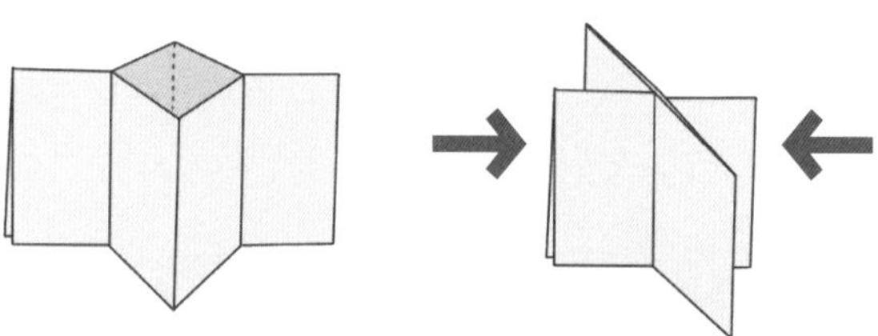

④ 책이 될 수 있게 한쪽으로 모아 주면 완성!

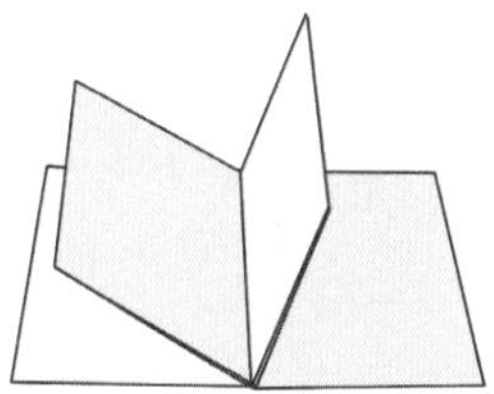

2. 만든 미니북에 이번 단원에서 배운 낱말들을 정리해 봅시다.

되돌아보기

1. **보기** 의 낱말을 넣어 문장을 완성해 봅시다.

보기

범위　　나타나(나타나다)　　태도
되돌아봐야(되돌아보다)　　골라(고르다)

1) 오늘 수업 (　　　　　　)가 좋지 않다고 선생님께 혼이 났어.

2) 친구를 그리워하는 마음이 시에 (　　　　　　) 있어요.

3) 이 중에서 갖고 싶은 것을 (　　　　　　) 봐.

4) 일기를 쓸 때는 오늘 하루 있었던 일을 (　　　　　　) 해.

5) 수학 시험 (　　　　　　)가 어디부터 어디까지야?

2. 빈칸에 알맞은 내용을 붙임 딱지로 붙여 봅시다. 붙임 딱지

[붙임 딱지] ➡ **수행 평가 준비를 해요.** ➡ [붙임 딱지] ➡ **선생님이 평가 내용을 확인해요.** [붙임 딱지]

3. 잘 공부했는지 스스로 평가해 봅시다.

		매우 잘함	잘함	보통
①	수행 평가의 과정을 말할 수 있어요?			
②	평가지에 번호와 이름을 잊지 않고 쓸 수 있어요?			
③	여러 가지 미니북을 만들 수 있어요?			
④	수행 평가와 관련 있는 낱말들을 읽고 쓸 수 있어요?			
⑤	친구의 작품을 보고 평가할 수 있어요?			

단원 주제

1. 이어질 내용 상상하기
2. 독서 기록장 쓰기

7

책을 읽고 난 후

이어질 내용 상상하기

1. 다음 그림을 보고 이야기를 소리 내어 읽어 봅시다.

옛날 어느 할아버지가
무 씨앗을 하나 심었어요.

며칠 지나 무 싹이 났어요.
무는 매일매일 쑥쑥 자랐어요.

"이젠 뽑아서 먹어도 되겠어."
할아버지는 무를 당기고 또 당겼어요.
하지만 뽑을 수 없었지요.

"도와줘요! 날 좀 도와줘요!"
할아버지는 할머니와 늙은 고양이에게
부탁했어요. 할아버지, 할머니,
늙은 고양이가 힘껏 당겼지만 무를
뽑을 수 없었어요.

2. 이어질 내용을 상상해 봅시다.

1) 오딜이 다음에 이어질 내용을 상상하고 있어요. 오딜이 상상한 내용을 소리 내어 읽어 보세요.

할머니, 할아버지, 늙은 고양이가 아무리 당겨도 무를 뽑을 수 없었어요. 결국 고양이는 힘들어서 집으로 돌아갔어요. 할머니와 할아버지는 무의 잎을 가위로 잘랐어요. 그리고 집에 가서 무의 잎으로 김치를 만들었어요. 할아버지와 할머니는 밥과 김치를 맛있게 먹었답니다.

2) 그림을 보고 이어질 내용을 상상해 보세요.

 **어려운 말이 있어요? 확인해 봐요.**

이어질(이어지다)

이렇게 사용해요

계속 내용이 이어지게 말 잇기 놀이를 해 보자.
만화 영화 예고를 보니 이어질 내용이 더 궁금해.

독서 기록장 쓰기

1. 선생님과 함께 책을 읽어 봅시다.

2. 책을 읽고 오달과 서영이 대화를 나누고 있습니다. 소리 내어 읽어 봅시다.

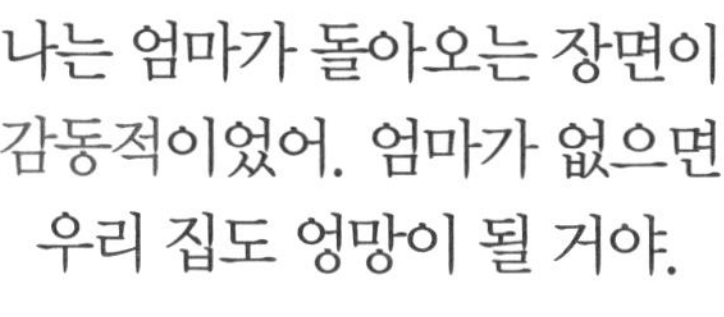

 **어려운 말이 있어요? 확인해 봐요.**

감동적

이렇게 사용해요 어제 본 영화가 감동적이어서 눈물이 났어.
기억에 남는 감동적인 장면을 발표해 봅시다.

재미있었어(재미있다)

이렇게 사용해요 우리 선생님은 정말 재미있는 분이에요.
이 책을 너에게 추천하고 싶어. 정말 재미있거든.

3. 독서 기록장을 써 봅시다.

1) 오딜이 '주인공에게 편지 쓰기'를 하고 있어요. 오딜의 편지를 소리 내어 읽어 보세요.

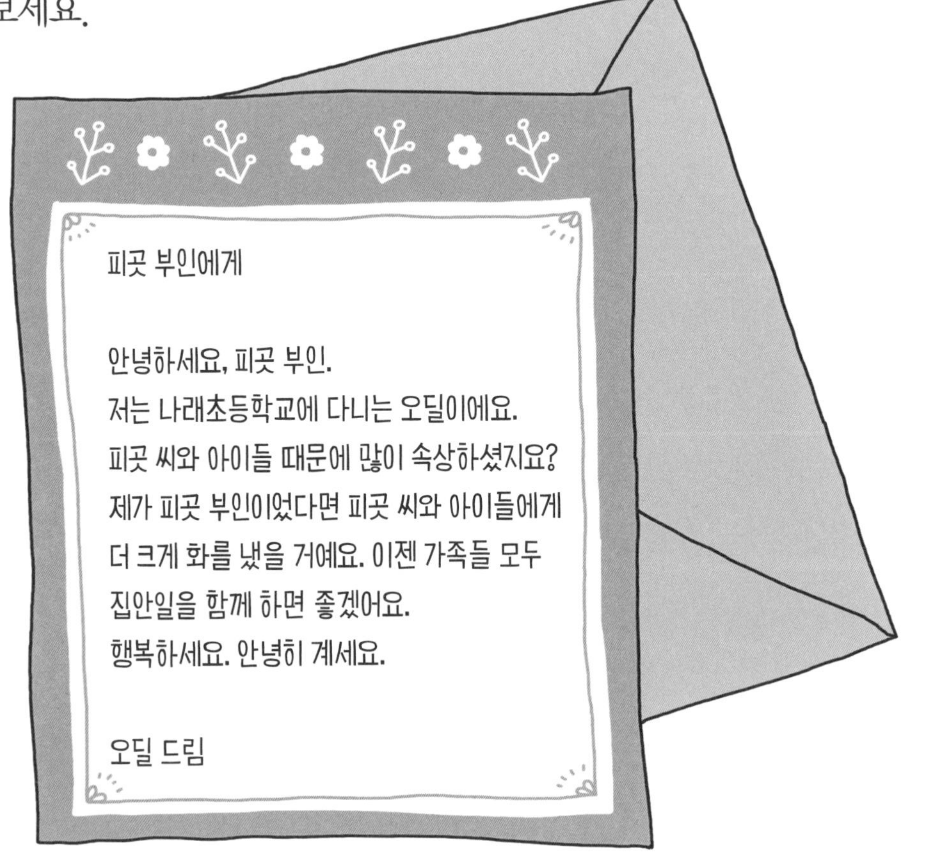

피곳 부인에게

안녕하세요, 피곳 부인.
저는 나래초등학교에 다니는 오딜이에요.
피곳 씨와 아이들 때문에 많이 속상하셨지요?
제가 피곳 부인이었다면 피곳 씨와 아이들에게
더 크게 화를 냈을 거예요. 이젠 가족들 모두
집안일을 함께 하면 좋겠어요.
행복하세요. 안녕히 계세요.

오딜 드림

꼬마 수업 독서 기록장

독서 기록장은 책을 읽고 나서 읽은 내용을 다양한 방법으로 정리하는 공책이에요. 독서 기록장을 쓰면 내가 읽은 책을 오래 기억할 수 있어요. 독서 기록장에는 읽은 책의 제목, 지은이, 읽은 날짜, 나의 생각이나 느낌 등을 쓰고 다음과 같은 활동을 해요.

줄거리 쓰기, 주인공에게 편지 쓰기, 주인공이 되어 말하기, 삼행시 짓기, 이어질 내용 상상하기, 등장인물 바꾸어 쓰기, 책 표지 꾸미기 등

2) 서영이는 《돼지책》의 제목을 바꾸어 책 표지를 꾸미고 있어요.

 **어려운 말이 있어요? 확인해 봐요.**

바꾸어(바꾸다)

이렇게 사용해요

선생님, 빨간 색종이로 바꾸어 주실 수 있나요?
겨울 나무 그림을 여름 나무로 바꾸어 보세요.

꾸미고(꾸미다)

이렇게 사용해요

교실을 가을 분위기로 꾸며 볼까요?
화려하게 꾸민 크리스마스트리예요.

3) 제목을 바꾸면 내용이 어떻게 변할까요? 상상해 보세요.

함께 해 봐요

1. '이야기 만들기' 놀이를 해 봅시다. 부록

〈놀이 방법〉

① 그림 카드 12장을 펼쳐 놓는다.

② 가위바위보로 순서를 정하고 '이야기 시작'을 함께 읽는다.

③ 이긴 사람부터 원하는 카드를 한 장 뽑으며 이야기를 이어 간다.

④ 다음 사람도 원하는 카드를 한 장 뽑으며 앞사람에 이어 이야기를 꾸민다.

⑤ 마지막 사람은 반드시 이야기를 끝내야 한다.

이야기 시작

옛날 어느 마을에 동물 친구들이 살고 있었어요. 깡충깡충 뛰어가던 토끼가 느릿느릿 기어가는 거북이를 보고 말했어요.

"거북이야, 넌 정말 느리구나."

거북이가 대답했어요.

2. 내가 뽑은 카드로 문장을 만들고 써 봅시다.

내가 뽑은 카드	만든 문장

되돌아보기

1. 그림에 어울리는 낱말을 연결하고 따라 써 봅시다.

2. 빈칸에 들어갈 낱말을 보기 에서 골라 써 봅시다.

보기

재미 흥미

3. 이번 달에 재미있게 읽은 책이 있어요? 아래에 내용을 써 봅시다.

제목	
지은이	
느낀 점	

4. **보기** 에서 하고 싶은 활동을 선택해 ○표를 하고, 독서 기록장을 써 봅시다.

보기

책 속의 주인공에게 편지 쓰기　　제목 바꾸기
주인공이 되어 말하기　　이야기의 배경 바꾸어 쓰기

단원 주제

1. 기준에 따라 분류하기
2. 분류의 방법으로 내용 간추리기

8

끼리끼리 모아요

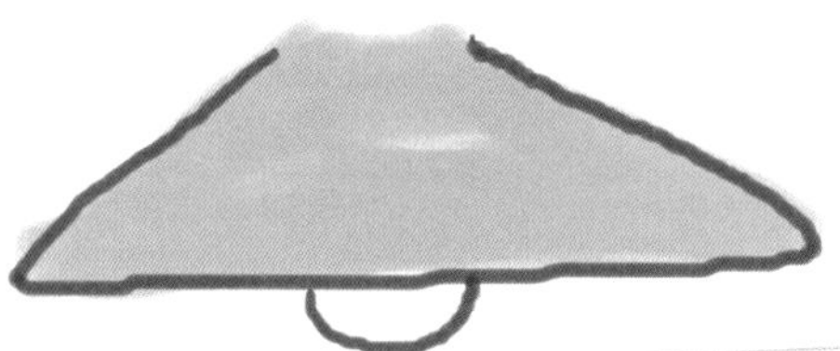

이번 주말 나들이 계획을 세워 볼까? 동물원에는 여러 가지 동물들이 있단다.
네, 엄마. 사는 곳에 따라 땅에 사는 동물, 물에 사는 동물, 하늘에 사는 동물로 나눌 수 있어요. 저는 물에 사는 동물을 먼저 보고 싶어요.

기준에 따라 분류하기

1. 동물을 기준에 따라 분류해 봅시다. 붙임 딱지

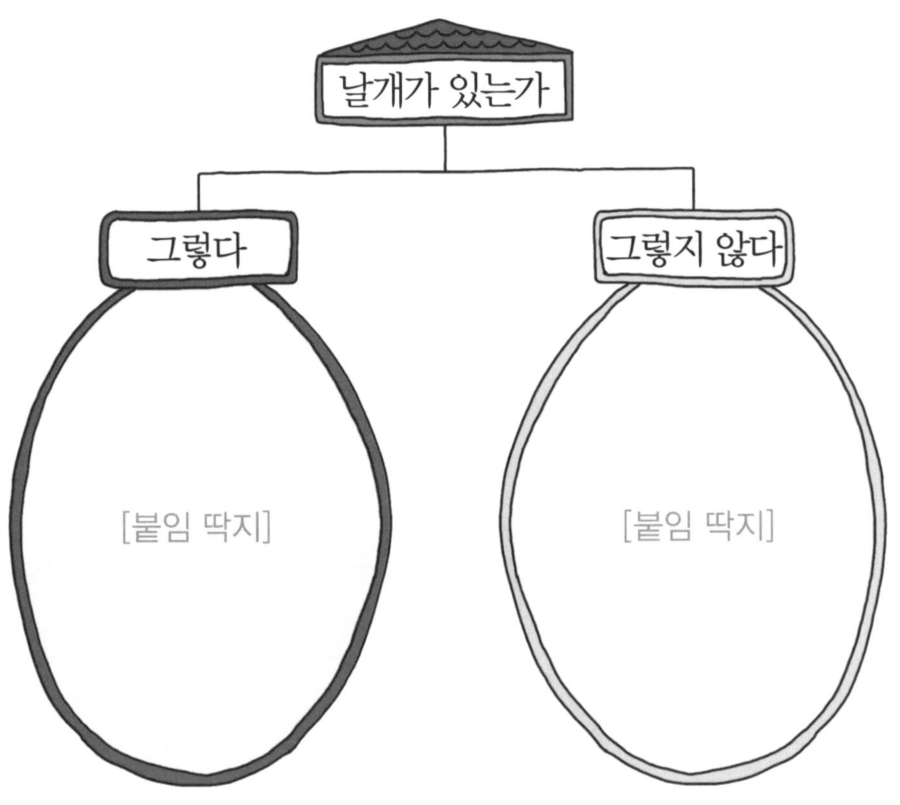

어려운 말이 있어요? 확인해 봐요.

기준

이렇게 사용해요

장위를 기준으로 양팔 간격으로 줄을 서 보자.
어떤 기준으로 무리 지었는지 발표해 봅시다.

분류

이렇게 사용해요

비슷한 것끼리 분류해 봅시다.
동물을 사는 곳에 따라 분류해요.

2. 다니엘과 엠마가 분류 활동을 하며 이야기를 하고 있습니다. 읽고 물음에 답해 봅시다.

나는 '날개가 있는가'를
기준으로 분류했어.

나도 그랬어.
이번에는 먹이에 따라 분류해 볼까?

1) 다니엘이 동물을 분류한 기준은 무엇이에요?

2) 엠마는 어떤 기준으로 동물을 분류하려고 해요?

3) 아래에 분류한 내용을 보고, 다음 문장을 완성해 써 보세요.

'다리가 2개인가'를 (   )으로 분류했어요.

다리가 2개인 동물에는 (   )가 있어요.

분류의 방법으로 내용 간추리기

1. 다음 글을 읽고 물음에 답해 봅시다.

글 ❶

악기는 타악기, 현악기, 관악기로 나눌 수 있어요. 타악기는 두드리거나 때려서 소리를 내는 악기로 장구와 큰북 등이 있어요. 현악기는 줄을 사용하는 악기로 가야금과 바이올린 등이 있어요. 그리고 관악기는 입으로 불어서 소리를 내는 악기로 단소와 리코더 등이 있어요.

글 ❷

1) 선을 이어 문장을 완성해 보세요.

글 ❶은 ●

글 ❷는 ●

● 내용을 더 자세히 알 수 있어.

● 중요한 내용을 관련 있는 낱말끼리 묶어서 짧게 썼어.

● 내용을 길게 썼어.

● 메모처럼 간단해서 알아보기 쉬워.

2) 다니엘이 글❶을 분류의 방법으로 간추리고 있어요. 빈칸에 들어갈 낱말을 찾아 써 넣으세요.

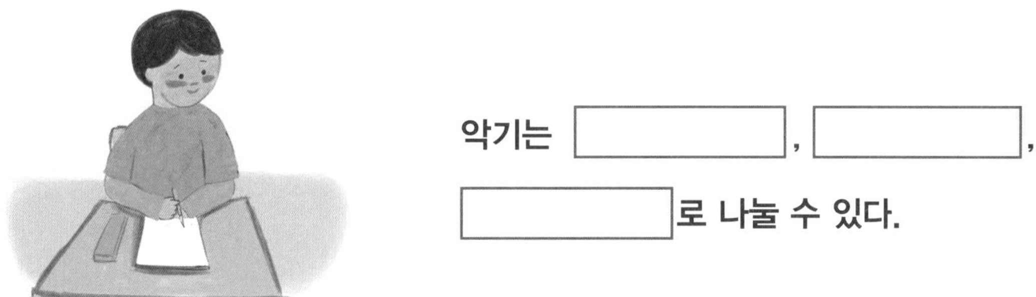

어려운 말이 있어요? 확인해 봐요.

관련 있는(관련 있다)

이렇게 사용해요

이 문제는 지난 시간에 배운 자석과 관련이 있어.
도서관에서 동물과 관련 있는 책을 찾아오세요.

간추리고(간추리다)

이렇게 사용해요

생각을 간추려서 발표해 봅시다.
오늘 읽은 책의 내용을 간추려 써 보자.

분류

일정한 기준을 정한 뒤에 그 기준에 따라 나누는 것을 분류라고 해요. 분류는 여러 가지를 종류별로 묶어 살펴볼 수 있어서 이해하기 쉽고 간단히 정리하기에 좋은 방법이에요.

2. 다음 글을 읽고 분류의 방법으로 내용을 간추려 봅시다.

물질의 상태는 고체, 액체, 기체로 나눌 수 있습니다. 고체는 나무토막, 책, 공처럼 모양이 일정하고 부피도 일정합니다. 액체는 담는 그릇에 따라 모양이 바뀌는 상태입니다. 물, 오렌지 주스, 식용유 등이 액체입니다. 기체는 우리 주위의 공기처럼 모양과 부피가 쉽게 바뀌는 상태입니다. 물을 끓일 때 나오는 흰 수증기, 풍선을 크게 만드는 공기 등이 모두 기체입니다.

1) 글을 읽고 아래의 표를 채워 정리해 보세요.

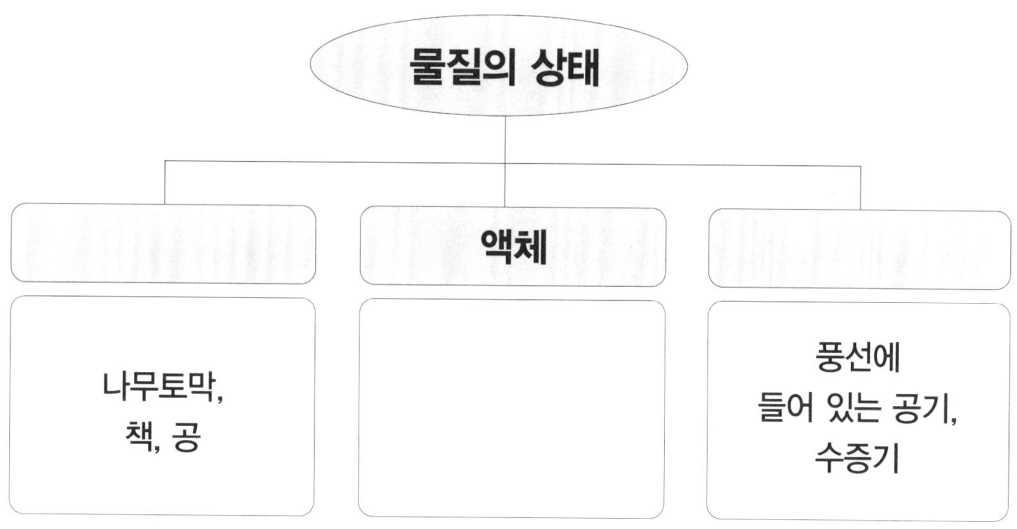

2) 내용을 간추려 빈칸을 채워 보세요.

물질의 상태는 [　　　　], [　　　　], [　　　　]로 나눌 수 있다.

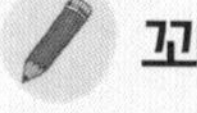
꼬마 수업 고체, 액체, 기체

고체, 액체, 기체는 물질의 상태를 나타내는 말이에요. 하나의 물질은 여러 가지 상태를 갖기도 해요. 예를 들어 얼음은 고체, 물은 액체, 수증기는 기체의 상태예요. 모양과 부피를 가지고 있는 상태로 굳고 단단한 것을 보면 대부분 고체라고 생각하면 돼요. 액체는 모양이 일정하지 않고 담는 그릇에 따라 변하는 물질의 상태로 종류에 따라 냄새, 색깔, 흔들리는 정도가 달라요. 기체는 우리 주위의 공기와 같이 모양과 부피가 일정하지 않으며 공간을 차지하는 물질의 상태예요.

함께 해 봐요

1. '분류 판을 채워라' 놀이를 해 봅시다.

2. '분류 판을 채워라' 놀이를 하며 내가 말한 문장을 3가지 써 봅시다.

되돌아보기

1. 그림에 어울리는 낱말을 연결하고 따라 써 봅시다.

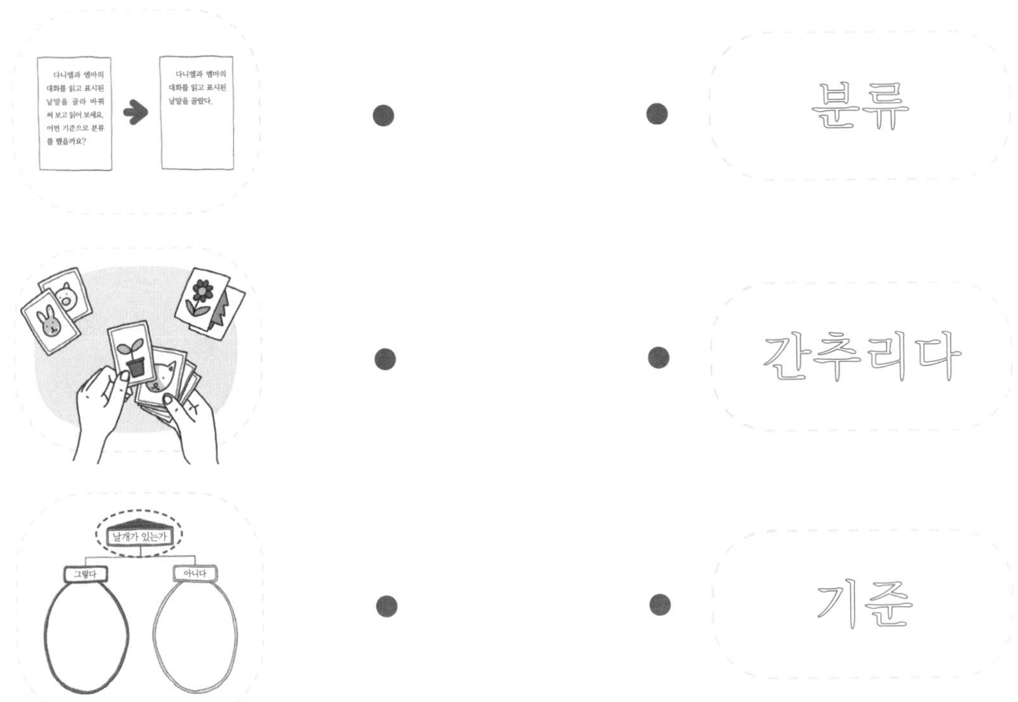

2. 다니엘과 엠마의 대화를 읽고 밑줄 그은 낱말을 바르게 고쳐 써 봅시다.

3. 동물을 여러 가지 기준으로 분류해 봅시다.

토끼	독수리	코끼리
사자	참새	닭

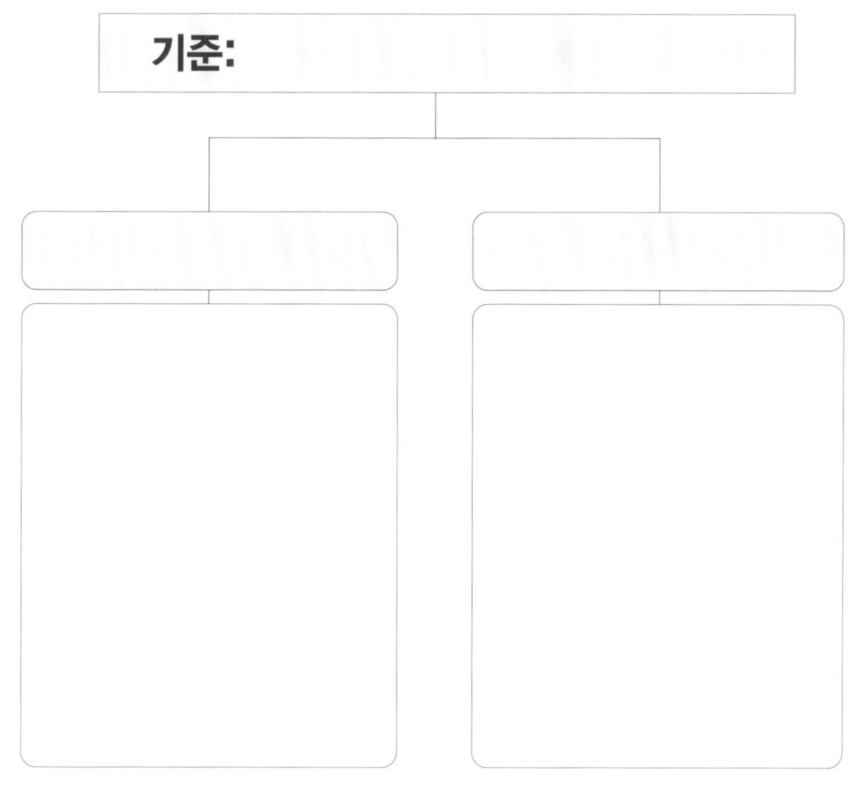

단원 주제

1. 그림지도 보고 메모하기
2. 화석 사진 보고 설명하기

9

관찰하고 설명하고

타이선, 날씨가 어떤지
창밖을 좀 보렴.
엄마, 날씨가 좋아요.
우리 오늘 동물원 나들이 가기
좋겠어요.

ZOO
어디로 가야 되지?
동물원 그림지도를 한번
살펴봐야겠어.

그림지도 보고 메모하기

1. 다음 그림지도를 살펴봅시다.

2. 왼쪽 그림지도에서 동물들이 있는 위치를 말해 봅시다.

1) 호랑이는 어디에 있는지 말해 보세요.

2) 거북은 어디에 살고 있는지 말해 보세요.

3. 왼쪽 그림 지도를 보고 동물원 입구에서 코끼리를 보러 가려면 어떻게 가야 하는지 써 봅시다.

꼬마 수업 그림지도

그림으로 길이나 건물 등을 표시하여 지도로 나타낸 것이에요. 놀이공원이나 동물원에 가면 입구에서 그림지도를 찾아볼 수 있어요.

관찰과 메모

어떤 대상을 자세히 살펴보는 것을 관찰이라고 해요. 관찰한 것을 간단히 적으면 관찰한 것에 대해 말하거나 쓸 때 이용할 수 있어요. 이렇게 간단히 적는 것을 메모라고 해요.

화석 사진 보고 설명하기

1. 다음 고사리 화석 사진을 관찰하고 설명해 봅시다.

1) 고사리 화석 사진에 나타난 모양에 대해 글로 써 보세요.

고사리 화석은 나뭇잎 여러 개가 줄기에 달려 있는 **모양입니다.**

2) 1)에서 쓴 글을 바탕으로 고사리 화석 모양의 특징을 발표해 보세요.

 꼬마 수업 **화석**

화석은 아주 옛날에 살았던 식물이나 식물의 부분, 동물의 뼈나 동물의 일부, 동물이 활동한 흔적 등이 땅속에 묻혀 굳어져 지금까지 남아 있는 거예요.

 **어려운 말이 있어요? 확인해 봐요.**

설명

이렇게 사용해요

색종이로 바지 접는 방법을 설명 좀 해 줘.
선생님께서 문제 설명을 쉽게 해 주셨습니다.

모양

이렇게 사용해요

내 짝은 동그란 모양의 안경을 쓰고 다닙니다.
세모 모양 / 네모 모양 / 특별한 모양 / 여러 가지 모양.

활동

이렇게 사용해요

역할 놀이 활동은 재미있어요.
쉬는 시간에는 다음 시간을 준비하는 활동을 합니다.

남아(남다)

이렇게 사용해요

밥이 조금 남았어요.
작품을 만들고 남은 찰흙은 집에 가지고 가도 됩니다.

2. 조개 화석 사진을 관찰하고 설명해 봅시다.

조개 화석

1) 조개 화석 모양의 특징을 보기 와 같이 써 보세요.

보기

조개 화석은 여러 개의 줄이 있는 모양이다.

조개 화석은 ______________________________.

조개 화석은 ______________________________.

2) 1)에서 쓴 글을 바탕으로 조개 화석 모양의 특징에 대해 발표해 보세요.

 꼬마 수업 **관찰 도구**

관찰할 때에는 눈으로만 볼 때도 있지만 돋보기를 사용하거나 현미경, 망원경과 같은 도구를 사용하기도 해요.

3. 화석 사진을 관찰하고 설명해 봅시다.

① 삼엽충 화석 ② 암모나이트 화석

함께 해 봐요

1. '설명 듣고 알아맞히기' 놀이를 해 봅시다.

〈놀이 방법〉

① 두 명씩 짝을 짓는다.

② 한 친구는 선생님께서 주시는 그림 카드를 받아서 자세히 살펴본다.

③ 다른 친구는 그림 카드를 받은 친구를 등지고 선다.

④ 그림 카드를 받은 친구는 그림 카드에 그려져 있는 모양을 자세히 설명한다.(그것이 무엇인지 말하면 안 된다.)

⑤ 다른 친구는 설명을 잘 듣고 그림 카드에 그려져 있는 것이 무엇인지 알아맞힌다.

⑥ 팀별로 한 번씩 번갈아 가며 놀이를 한다. 많이 맞힌 팀이 이긴다.

2. 선생님께서 보여 주신 동물들을 어떻게 설명하였는지 써 봅시다.

되돌아보기

1. 낱말에 맞는 설명을 찾아봅시다.

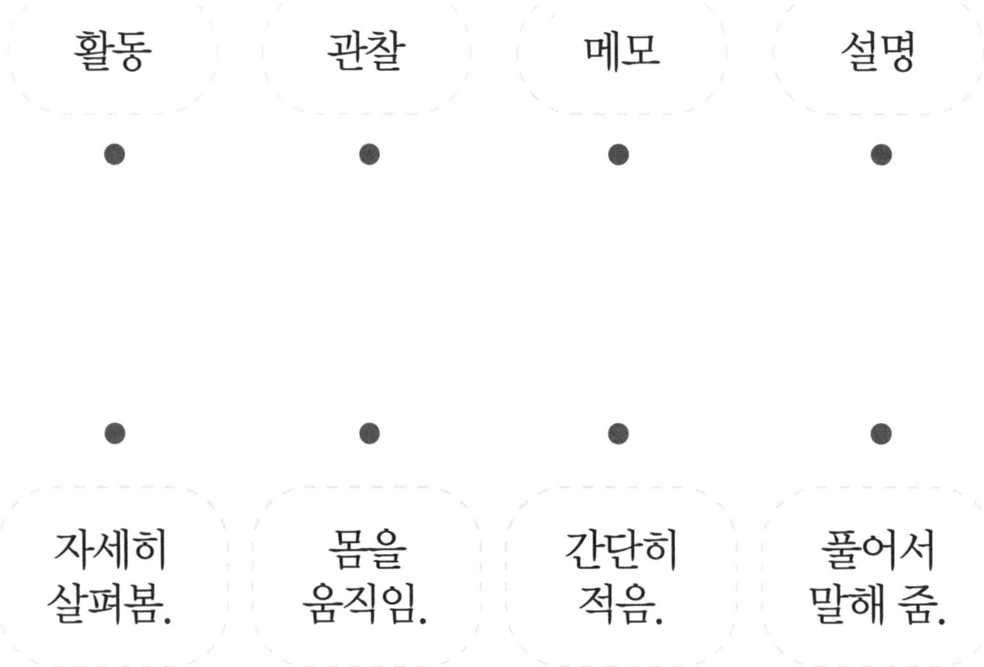

2. 다음 그림이 나타내는 것이 무엇인지 써 봅시다.

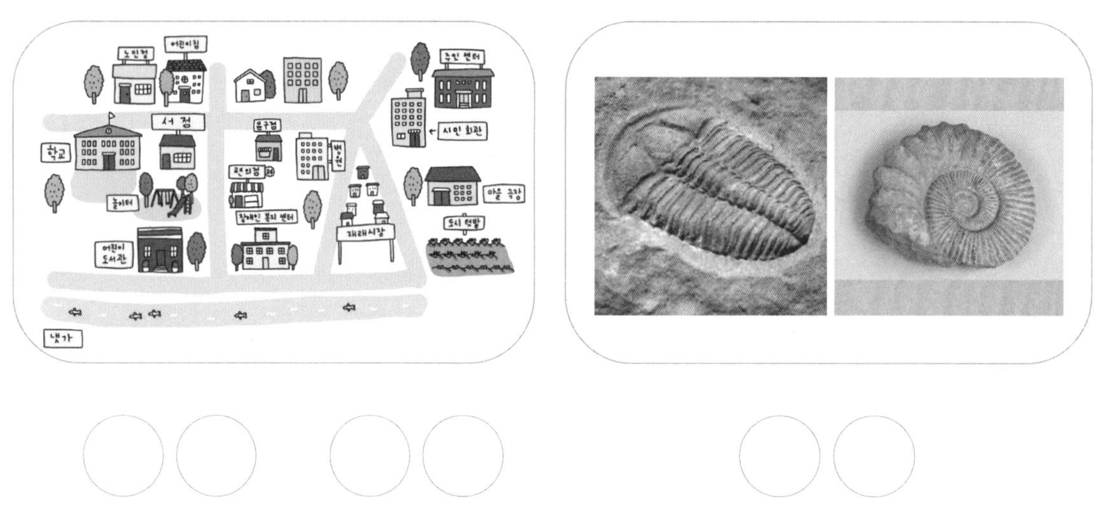

3. 마을 그림지도를 살펴보고 아래의 물음에 답해 봅시다.

다니엘이 사는 마을 그림지도

1) 어린이 도서관은 어디에 있어요?

2) 학교 주변에는 무엇이 있어요?

3) 다니엘이 학교를 마치고 주민 센터에 계시는 아버지를 찾으러 갑니다. 어떻게 가야 할까요?

단원 주제

1. 인물의 마음 짐작하기
2. 그림 보고 예상하기

10

알아맞히기

달리기를 하다 넘어지면
얼마나 속이 상할까?

인물의 마음 짐작하기

1. 다음 글을 읽고 인물의 마음을 짐작하여 발표해 봅시다.

장위의 달리기

기다리던 가을 운동회 날이다. 달리기를 하는 순서가 되었다. 운동회 전 연습 때도 달리기를 하였는데 장위가 항상 1등이었다. 이 날도 장위는 당연히 1등을 할 거라고 예상하며 달리기를 했다. 그런데 결승선 바로 앞에서 장위가 넘어지는 일이 발생했다. 장위는 다시 일어나 열심히 달렸지만 결과는 꼴찌였다. 장위는 그만 눈물이 쏟아졌다.

1) 달리기를 하기 전 장위의 마음은 어떠했는지 발표해 보세요.

2) 넘어지고 난 후 장위의 마음은 어떠했을지 발표해 보세요.

어려운 말이 있어요? 확인해 봐요.

발생

이렇게 사용해요

짝을 바꾼 후 교실에서 작은 문제가 발생했다.
여름에 자주 발생하는 전염병에 대해 보건 선생님께서 설명해 주셨어요.

 꼬마 수업 **인물의 마음 짐작하기**

글에서 인물의 말과 행동을 잘 살펴보고 인물이 가지고 있는 생각이나 마음을 알아맞혀 보는 것이 인물의 마음 짐작하기예요. 인물이 처한 상황을 잘 살펴보고 인물의 마음이 드러나는 표현도 찾아봐요. 글과 함께 그림이 있다면 그림도 살펴봐요. 그러면 인물의 마음을 더 잘 짐작할 수 있어요.

2. 다음 글을 읽고 물음에 답해 봅시다.

주몽 이야기

옛날에 주몽이라는 활을 잘 쏘는 아이가 살았어. 사실 주몽이라는 이름도 활을 잘 쏘는 사람이라는 뜻이라고 해. 주몽에게는 아버지가 다른 형들이 있었어. 형들은 주몽보다 활을 잘 쏘지 못했어.

그래서 형들은 주몽을 ( ). 자기들보다 어린 동생인데 활을 잘 쏘는 게 질투가 났어.

그러던 어느 날 주몽의 어머니는 주몽을 불러 멀리 떠나 다른 곳에 가서 살라고 했어.

주몽은 새로운 곳에 살게 되었고 나라를 세웠어. 이 이야기가 바로 고구려(옛날에 한국에 있었던 나라)를 세운 주인공 동명성왕의 이야기야.

1) 주몽은 무엇을 잘하는 아이였어요?

2) 주몽의 형들은 주몽을 어떻게 생각했어요? 그리고 ( )에는 어떤 말이 들어갈지 생각해 보세요.

그림 보고 예상하기

1. 다음은 '촌락과 도시'라는 단원을 처음 배울 때 살펴보는 그림입니다. 이 그림을 살펴보고 다음 물음에 답해 봅시다.

1) 그림의 번호 ①~⑧에 따라 살펴보며 무엇을 나타내는지 이야기해 보세요.

①은 벌을 키우며 꿀을 모으는 일을 하는 그림 같습니다.

②는 ________________ 그림 같습니다.

③은 ________________.

④는 ________________.

⋮

2) 서영이와 다니엘이 위의 그림을 바탕으로 발표한 것을 잘 읽어 보세요.

이번 단원에서는 촌락과 도시에 사는 사람들이 무엇을 하며 살아가는지 배울 것 같습니다.

이번 단원에서는 촌락과 도시에 어떤 것들이 있는지 배울 것 같습니다.

꼬마 수업 촌락과 도시

촌락은 농촌, 어촌, 산지촌 지역을 말해요. 그리고 도시는 사람들이 많이 모여 살며 교통이 발달한 지역이기도 해요.

2. 단원을 시작할 때 '그림 보고 예상하기'를 잘하려면 어떻게 해야 할지 알아봅시다.

① 그림을 자세히 살펴봅니다.

▼

② 배울 단원 제목이나 학습 내용이 무엇인지 생각해 봅니다.

▼

③ 자세히 살펴본 것과 단원 제목, 학습 내용, 주제 등을 연결 지어 생각해 봅니다.

어려운 말이 있어요? 확인해 봐요.

바탕

이렇게 사용해요

그림을 바탕으로 글의 내용을 짐작할 수 있다.
흥부 놀부 이야기의 바탕에는 착하게 살라는 뜻이 담겨 있다.

발달

이렇게 사용해요

우리 고장은 교통이 발달했다.
우리 몸의 발달에 맞게 운동을 해야 한다.

3. 다음 그림은 '시장에 가면'이라는 단원의 첫 쪽입니다. 그림을 보고 배울 내용을 예상해서 발표해 봅시다.

1) 각 번호가 가리키는 것이 무엇인지 써 보세요.

2) '시장에 가면'이라는 단원에서 무엇에 대해 배울지 예상해서 발표해 보세요.

함께 해 봐요

1. '열 고개' 놀이를 해 봅시다.

〈놀이 방법〉

① 문제를 내는 사람을 정한다.

② 문제를 내는 사람은 물건이 그려진 그림 카드를 한 장 뽑고 그 물건에 대하여 설명하기 시작한다.

③ 설명을 듣는 사람은 그 물건에 대하여 질문한다. 질문은 한 번에 한 개씩만 할 수 있다.

④ 문제를 내는 사람은 그 질문에 대해 '예' 혹은 '아니요'로만 답할 수 있다.

⑤ 물건이 무엇인지 맞히면 점수를 얻는다.

2. 열 고개 놀이를 하면서 나와 친구들은 어떤 질문들을 했는지 써 봅시다.

되돌아보기

1. 보기 의 낱말 중 내가 아는 낱말에는 ◯표를 하고 잘 모르는 낱말에는 △표를 해 봅시다.

2. 위에서 ◯표를 한 낱말(내가 아는 낱말) 중 3개를 골라 문장을 만들어 봅시다.

1)

2)

3)

3. 다음 두 그림을 보고 그다음에 무슨 일이 일어날지 예상해서 써 봅시다.

❶

❷

❸ 무슨 일이 일어날지 써 보세요.

단원 주제

1. 명절 조사하기
2. 조사하는 글 쓰기

11

조사한 것을 써요

한국에는 어떤 명절이 있는지 궁금해.
한국의 대표적인 명절에는 설과 추석이 있어.
설과 추석에는 무엇을 해?
…….
음, 조사를 해서 알아봐야겠다.

명절 조사하기

1. 명절에 대해 조사하는 글을 읽어 봅시다.

설과 추석

한국의 대표적인 명절에는 설과 추석이 있다. 설은 음력 1월 1일, 새해 첫날이다. 그리고 추석은 음력 8월 15일이다. 설에는 차례를 지내고 떡국을 먹는다. 설빔이라는 새 옷도 입고 새해를 맞는 인사로 세배를 한다. 추석에도 차례를 지낸다. 둥근 보름달을 보고 소원을 빌기도 한다. 추석에는 송편이라는 떡도 먹는다.

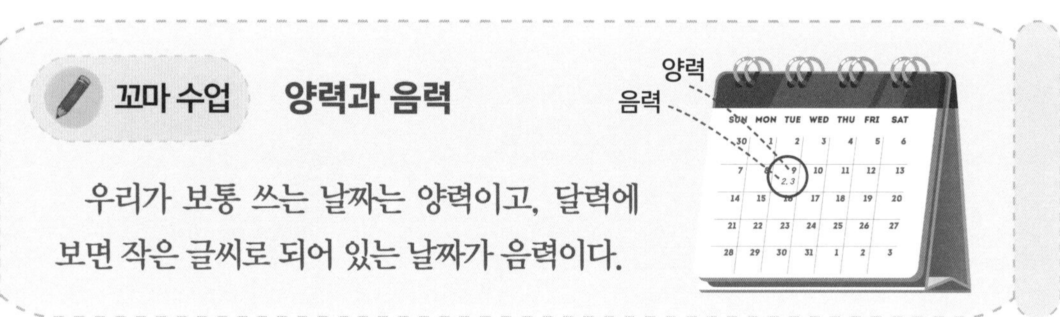

2. 타이선이 설에 대해 조사한 글을 읽어 봅시다.

설과 설에 하는 일

조사한 사람: 4학년 2반 ○○번 타이선 **조사 날짜:** 20○○년 ○○월 ○○일

조사 방법: 명절에 대한 책을 보고 조사, 인터넷 자료 찾기

조사 내용: 설은 음력 1월 1일이다. 새해 첫날이고 설에는 차례를 지내고 떡국을 먹는다. 설빔이라는 새 옷도 입고 새해를 맞는 인사로 세배를 한다.

붙이는 자료:

3. '설과 추석'을 참고하여 추석에 대해 조사하는 글을 써 봅시다.

□□과 □□에 하는 일

조사한 사람: 학년 반 번 이름:

조사 날짜: 20 년 월 일

조사 방법: 명절에 대한 책을 보고 조사, 인터넷 자료 찾기

조사 내용: 추석은 음력 □월 □□일이다.

조사하는 글

숙제나 학습 활동 중에 조사를 해야 하는 경우가 자주 있어요. 이때 조사한 결과를 글로 기록해야 해요. 이런 글이 바로 조사하는 글이에요. 조사하는 글에는 조사 대상, 조사 주제, 조사한 날짜, 조사한 사람, 조사한 방법, 조사한 내용 등이 있어야 해요.

어려운 말이 있어요? 확인해 봐요.

자료

이렇게 사용해요

조사하는 글을 쓸 때에는 자료도 필요하다.
선생님께서 숙제에 도움이 되는 자료를 주셨다.

기록

이렇게 사용해요

교실 식물 관찰 결과를 학습지에 기록했다.
어제 일기에 기록한 내용은 축구에 대한 것이었다.

조사하는 글 쓰기

1. 타이선의 모둠 친구들은 학교 화단에 있는 식물들을 조사했습니다. 순서대로 살펴봅시다.

① 조사 대상, 조사 범위 정하기
(학교 화단의 식물)

② 조사 내용 정하기
(학교 화단의 식물)

③ 조사 방법 정하기
(직접 살펴보기, 선생님께 묻기)

④ 조사하기
(학교 화단에 가서
식물 조사하기)

⑤ 조사 결과
글로 작성하기
(식물 조사 글 쓰기)

 **어려운 말이 있어요? 확인해 봐요.**

정하기(정하다)

이렇게 사용해요

오늘 새로운 짝을 정했어요.
술래를 정하는 방법으로 가위바위보를 했다.

작성

이렇게 사용해요

조사하는 글을 작성하다 보니 궁금한 점이 생겼다.
지난 시간에 작성한 글은 조사를 계획하는 내용이었다.

2. 타이선이 학교의 식물을 조사하고 쓴 글을 읽어 봅시다.

학교 식물 조사

조사 대상: 미래초등학교 화단의 식물

조사 주제: 학교 화단에 어떤 식물들이 많을까?

조사한 날짜(시간): 20○○년 ○○월 ○○일 교시

조사한 사람: 4학년 2반 ○○번 타이선

조사한 내용: 우리 학교 화단에는 나무와 풀 중에서는 풀이 더 많았다. 나무는 약 10여 종류가 있었고 풀은 30가지 이상이었다. 학교에 많이 있는 나무는 소나무, 철쭉, 주목, 단풍나무 등이었다. 학교에 많이 있는 풀은 코스모스, 국화, 방울꽃 등이었다.

첨부 자료: 선생님께서 찍어 주신 식물들 사진 붙임.

주목

소나무

국화

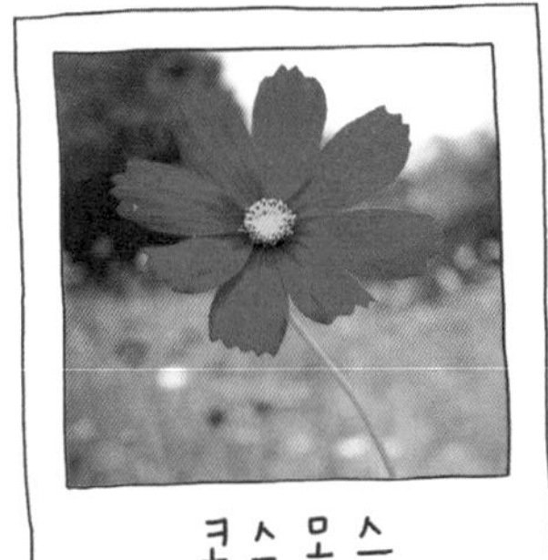
코스모스

3. 학교 화단의 식물을 조사하고 조사하는 글을 써 봅시다.

학교 식물 조사

조사 대상: (   )초등학교 화단의 식물

조사 주제:

조사한 날짜(시간): 20○○년 ○○월 ○○일 ○교시

조사한 사람: 학년   반   번   이름:

조사한 내용:

우리 학교 화단에는 ____________________

____

____

첨부 자료(선생님께서 찍어 주신 식물들 사진 붙임. 직접 그림으로 그려도 됨.)

함께 해 봐요

1. '친구 명함 만들기' 놀이를 해 봅시다.

〈놀이 방법〉

① 교실을 돌아다니며 친구들의 이름, 생일, 좋아하는 과목, 좋아하는 노래, 좋아하는 친구를 물어본다.

② 물어본 것을 선생님께서 주신 쪽지에 적는다.

③ 적은 것을 명함으로 만든다. 많은 명함을 만든 학생이 점수를 많이 얻는다.

④ 교실이나 칠판에 붙인다.

2. 친구들에 대해 조사한 것이 무엇인지 써 봅시다.

되돌아보기

1. 보기 는 이번 단원에서 배운 낱말들입니다. 아래 글자 표에서 배운 낱말들을 찾아 ○표 해 봅시다.

보기

조사 명절 기록 작성
자료 양력 음력

조	방	한	양	력	자
명	사	식	자	작	성
국	기	법	료	풍	부
설	록	명	친	속	모
비	날	절	구	추	석
보	음	력	사	람	랑

2. 우리 학교에 대해 조사하고 조사하는 글을 써 봅시다.

우리 학교 이름	초등학교
주소	
교목	
교화	
개교기념일 (학교 생일)	
전교 학생 수	• 남학생: 명 • 여학생: 명 • 전교 학생 수: 명
자랑거리	
학교 역사	

단원 주제

1. 물체의 무게를 비교하여 말하기
2. 여러 가지 모습을 비교해서 살펴보기

12 비교해서 알아요

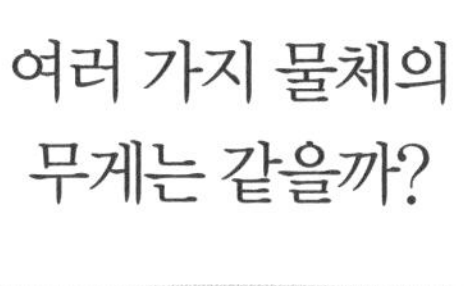
여러 가지 물체의 무게는 같을까?
아니야. 여러 가지 물체의 무게는 다를 거야.
저울로 물체의 무게를 재어서 알아보자.
가장 가벼운 물체는 무엇일까?

물체의 무게를 비교하여 말하기

1. 물체의 무게를 비교하는 실험을 살펴보고 물음에 답해 봅시다.

지우개가 자보다 무거워.

지우개가 풀보다 가벼워.

사인펜과 지우개의 무게는 비슷해.

자가 가장 가볍고, 풀이 가장 무거워.

1) 여러 가지 물체의 무게를 비교한 내용을 소리 내어 읽어 보세요.

2) (　　) 안에 알맞은 말을 넣어 실험 내용을 써 보세요.

① 지우개는 자보다 (　　　　　　　　　　).

② 지우개는 풀보다 (　　　　　　　　　　).

③ 지우개와 사인펜의 무게는 (　　　　　　　　　　).

④ 자가 (　　　　　) 가볍고, 풀이 (　　　　　) 무겁다.

꼬마 수업 양팔 저울

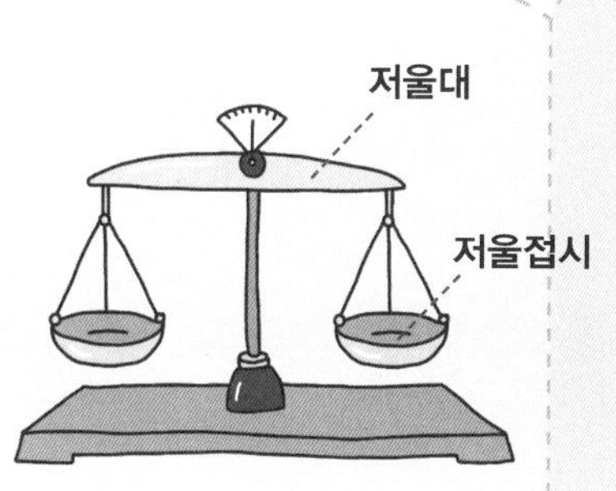

양팔 저울은 옆의 그림과 같은 저울이에요. 저울 접시에 물건을 올려놓았을 때 기울어지는 쪽의 물건이 더 무거워요.

어려운 말이 있어요? 확인해 봐요.

실험

이렇게 사용해요

소금과 모래를 나누는 실험 과정을 알아보았다.
물을 끓이면 어떻게 되는지 알아보는 실험을 했다.

비슷해(비슷하다)

이렇게 사용해요

친구와 나의 수학 실력은 비슷하다.
미술 시간에 짝과 내가 그린 그림이 비슷해서 놀랐다.

2. **보기** 의 표현을 사용해서 물체의 무게를 비교하여 말해 봅시다.

보기

–보다 –이/가 가볍다 –보다 –이/가 무겁다 –와/과 –의 무게가 비슷하다
–이/가 가장 가볍다 –이/가 가장 무겁다

가위

색연필

연필

여러 가지 모습을 비교해서 살펴보기

1. 집의 모습을 비교하는 활동을 살펴보고 물음에 답해 봅시다.

1) 준서네 모둠이 비교한 대상을 써 보세요.

(,)

2) 집의 이름과 알맞은 설명을 선으로 이어 보세요.

초가집	●	●	한 층입니다.
		●	여러 층입니다.
아파트	●	●	시멘트로 만들었습니다.
		●	나무와 흙으로 만들었습니다.

2. 음식을 만드는 도구를 비교하는 글을 읽고 물음에 답해 봅시다.

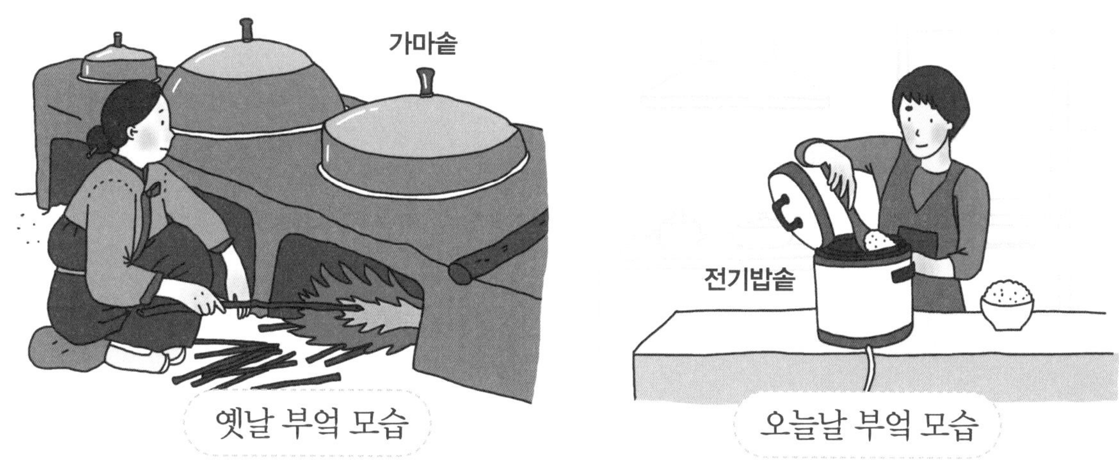

옛날 부엌 모습

오늘날 부엌 모습

음식을 만드는 도구가 변화하여 옛날과 오늘날의 생활 모습이 달라졌다. 사회 시간에 옛날과 오늘날의 생활 모습이 어떻게 달라졌는지 알아보았다. 옛날에는 가마솥을 사용하여 음식을 만들었고 오늘날에는 전기밥솥을 사용해서 밥을 한다. 가마솥은 나무에 불을 붙여서 이용했다. 전기밥솥은 전기를 이용해서 밥을 한다. 음식을 만드는 도구를 비교해 보니 옛날보다 오늘날 음식을 쉽게 만들 수 있다는 것을 알았다.

1) 사회 시간에 무엇을 알아보았는지 밑줄 그은 부분을 소리 내어 읽어 보세요.

2) 옛날과 오늘날 음식을 만드는 도구를 비교해서 써 보세요.

	옛날	오늘날
음식을 만드는 도구		
음식을 만드는 도구를 사용할 때 이용한 것		

비교

여러 개의 대상을 살펴보고 같은 점이나 다른 점을 찾는 것을 비교라고 해요. 비교 활동은 무게 비교하기, 길이 비교하기, 크기 비교하기, 모습 비교하기 등 다양해요. 같은 대상의 변화를 비교하면 달라진 점을 알 수 있어요.

어려운 말이 있어요? 확인해 봐요.

변화

이렇게 사용해요

컴퓨터는 사람들의 생활에 큰 변화를 가져왔다.
무서운 이야기를 들어도 친구의 표정에 변화가 없었다.

다른(다르다)

이렇게 사용해요

나와 친구는 색깔이 다른 옷을 입었다.
수학 시간과 국어 시간에 배우는 내용이 다르다.

달라졌다(달라지다)

이렇게 사용해요

달라진 친구의 모습에 놀랐다.
계절이 바뀌면 옷차림이 달라진다.

3. 옛날과 오늘날의 결혼식 모습을 살펴보고 물음에 답해 봅시다.

옛날

오늘날

1) 옛날과 오늘날의 결혼식 모습을 비교해서 써 보세요.

	옛날	오늘날
결혼식을 하는 장소		
결혼식 때 입는 옷		
결혼식에 모인 사람들이 하는 일		

2) 옛날과 오늘날 결혼식의 다른 점을 말해 보세요.

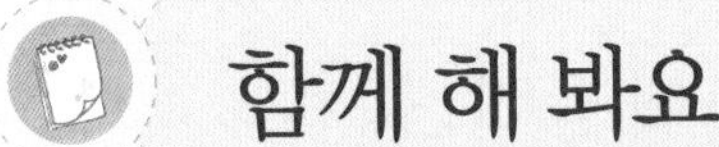

함께 해 봐요

1. '같아요, 달라요' 놀이를 해 봅시다.

우리 주변에서
모양이 같은 것을 찾아봐.

책과 공책은 둘 다
네모 모양이야.

배구공과 야구공은
모양이 같아.

모양이 같은 걸까?

2. 내가 낸 문제와 그 답을 써 봅시다.

되돌아보기

1. 같은 모양을 연결하여 낱말을 만들어 써 봅시다.

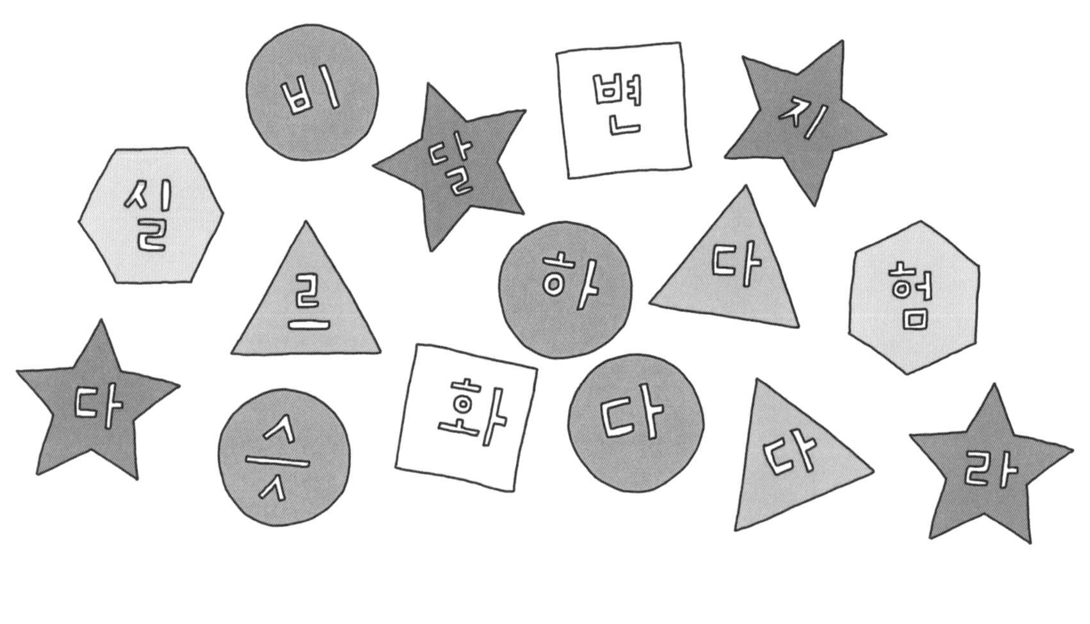

1)

2)

3)

4)

5)

2. 위 낱말에서 뜻을 알고 있는 것을 골라 ○표 하고 문장을 만들어 써 봅시다.

3. 자료를 살펴보고 동물의 무게와 모습을 비교하여 봅시다.

1) **보기** 의 표현을 사용해서 동물의 무게를 비교하여 말해 보세요.

보기

무겁다 가볍다 비슷하다
가장 무겁다 가장 가볍다

2) 동물의 모습을 비교하여 같은 점과 다른 점을 찾아 말해 보세요.

개와 고양이는 발이 4개라는 점이 같아.

개는 날개가 없고 닭은 날개가 있는 점이 달라.

단원 주제

1. 자료를 부분으로 나누어 살펴보기
2. 글을 부분으로 나누어 읽기

13

부분으로 나누어 보면

자료를 부분으로 나누어 살펴보기

1. 부레옥잠을 살펴보고 물음에 답해 봅시다.

부레옥잠의 잎은 둥글고 초록색입니다.

부레옥잠의 뿌리는 가늘고 수염처럼 생겼습니다.

부레옥잠의 잎자루는 공 모양으로 부풀어 있습니다.

1) 부레옥잠에서 살펴본 부분을 써 보세요.

(, ,)

2) 살펴본 부분과 그 부분을 설명하는 내용을 선으로 연결해 보세요.

어려운 말이 있어요? 확인해 봐요.

구별

이렇게 사용해요

나와 친구의 의견은 확실히 구별되었다.
누가 형이고 누가 동생인지 구별을 하기 어려웠다.

연결

이렇게 사용해요

질문과 맞는 답을 연결해 보세요.
글의 연결 부분이 자연스럽게 이어졌다.

2. 선인장을 설명하는 글을 읽고 물음에 답해 봅시다.

사막 식물, 선인장

사막에 사는 선인장은 물이 적은 환경에서 살기 위해 독특한 생김새를 가졌다. 선인장을 살펴보면 줄기 바깥 부분은 둥근 기둥 모양이고 초록색이다. 줄기를 잘라 보면 선인장의 줄기 안쪽 부분은 미끄럽고 촉촉하다. 잎 부분은 뾰족한 가시로 되어 있다.

1) 글에서 선인장을 세 부분으로 어떻게 나누었는지 밑줄을 그어 보세요.

2) 각 부분을 설명하는 내용을 소리 내어 읽어 보세요.

분석

전체를 여러 개의 부분으로 나누어 살펴보는 것을 분석이라고 해요. 분석할 때는 먼저 전체를 여러 부분으로 나누고 각 부분을 자세히 살펴봐요.

글을 부분으로 나누어 읽기

1. 문화유산 소개 계획서를 소리 내어 읽고 물음에 답해 봅시다.

우리 고장의 문화유산 소개 계획서

소개할 문화유산	석굴암
소개할 내용	• 석굴암이 만들어진 시기 • 석굴암의 모습 • 석굴암의 우수성
준비물	도화지, 색연필, 사진, 그림, 조사 자료
역할 나누기	• 타이선: 석굴암이 만들어진 시기와 모습 조사하기 • 준서: 석굴암 사진 찾기 • 서영: 석굴암의 우수성 조사하기 • 장위: 석굴암을 알리는 기사 쓰기

1) 소개 계획서에 들어가는 내용은 무엇이에요? 색칠된 칸에 있는 내용을 따라 써 보세요.

2) 소개하고 싶은 문화유산은 무엇이에요?

3) 소개할 내용을 구분하여 다음 그림에 정리해 보세요.

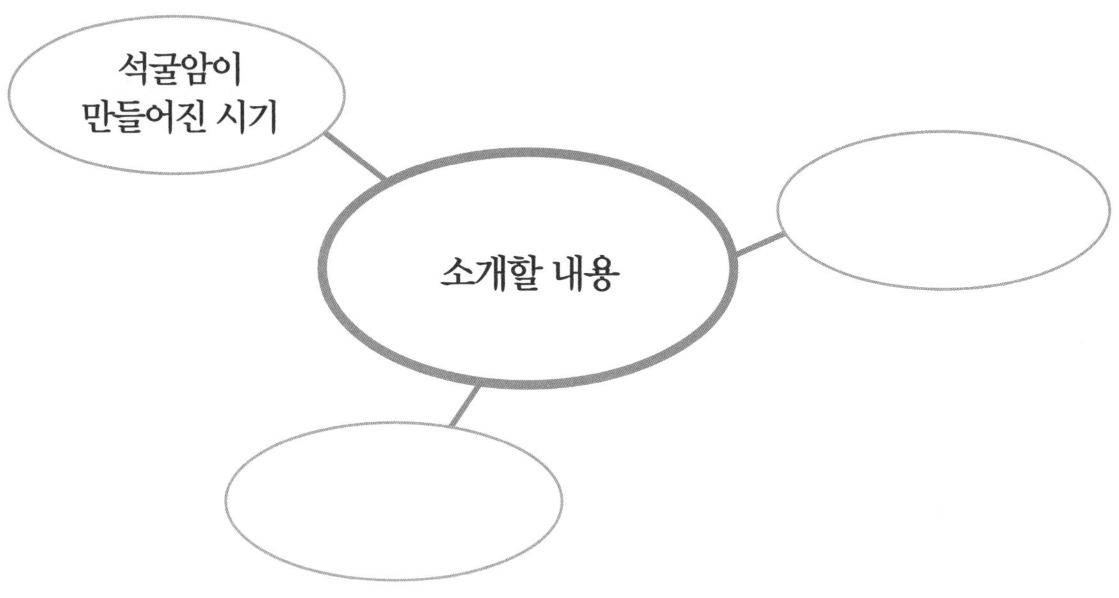

4) 소개 자료를 만들기 위해 필요한 것을 알 수 있는 부분에 밑줄을 그어 보세요.

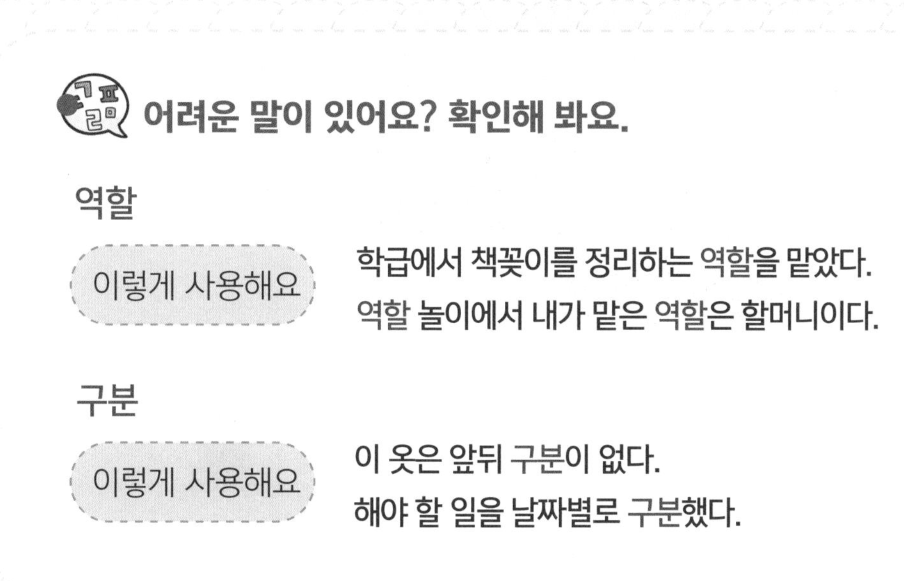

어려운 말이 있어요? 확인해 봐요.

역할

이렇게 사용해요

학급에서 책꽂이를 정리하는 역할을 맡았다.
역할 놀이에서 내가 맡은 역할은 할머니이다.

구분

이렇게 사용해요

이 옷은 앞뒤 구분이 없다.
해야 할 일을 날짜별로 구분했다.

2. 다음 글을 부분으로 나누어 읽고 물음에 답해 봅시다.

세계 문화유산 석굴암

석굴암은 신라 시대에 돌을 쌓아 올려 만든 굴 속에 꾸민 절입니다.

석굴암은 둥근 모양의 주실과 네모 모양의 전실이 통로로 연결되어 있는 모습입니다. 주실은 360여 개의 돌로 만든 하늘을 닮은 천장이 있습니다. 주실 가운데에는 커다란 본존불이 있고, 본존불 주위를 불상들이 감싸고 있습니다. 전실은 석굴의 입구로 돌로 만든 벽에 여러 불상이 조각되어 있습니다.

석굴암은 천 년이 넘도록 이끼도 끼지 않고 그대로 남아 있는 놀라운 문화유산입니다. 석굴암은 보호해야 할 세계 문화유산입니다.

1) 글의 전체 내용을 다음과 같이 나누어 읽어 보세요. 각각 다른 색연필로 표시하세요.

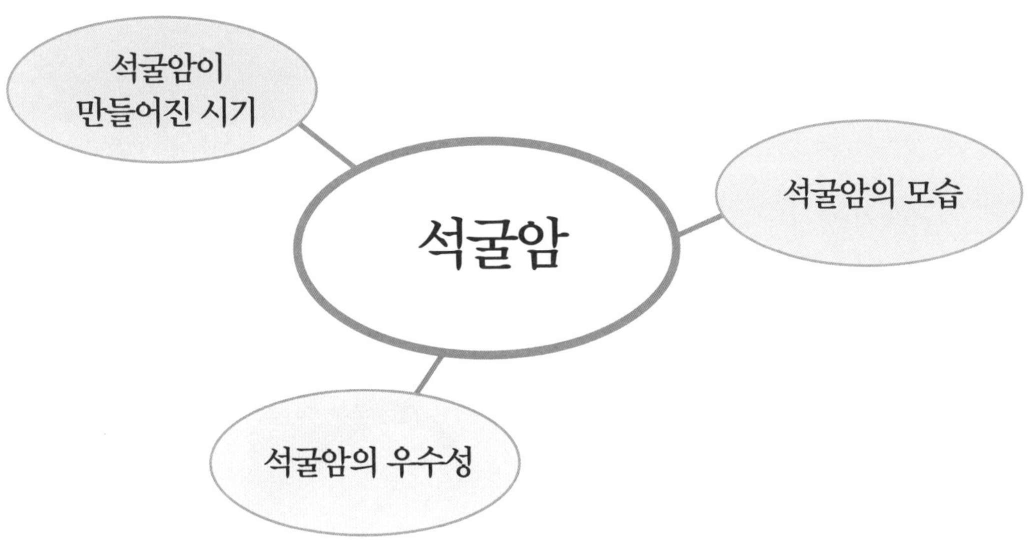

2) 나누어 읽은 각 부분의 주요 내용을 정리해 써 보세요.

석굴암이 만들어진 시기		
석굴암의 모습	주실	
	전실	
석굴암의 우수성		

꼬마 수업 **짜임새**

글을 부분으로 나누어 읽으면 글의 짜임새를 이해하기 쉬워요. 글에서 내용의 각 부분이 잘 짜여 전체를 이룬 것을 짜임새라고 해요.

함께 해 봐요

1. '누구게?' 놀이를 해 봅시다.

① 우유를 빨리 마신다.
② 머리카락이 짧다.
③ 남동생이 있다.
④ 축구를 좋아한다.
⑤ 우리 반에서 키가 제일 크다.

타이선

머리카락이 짧습니다.

타이선에 대한 내용입니다.

맞습니다.

2. 놀이를 통해 알게 된 친구의 특징을 정리해 봅시다.

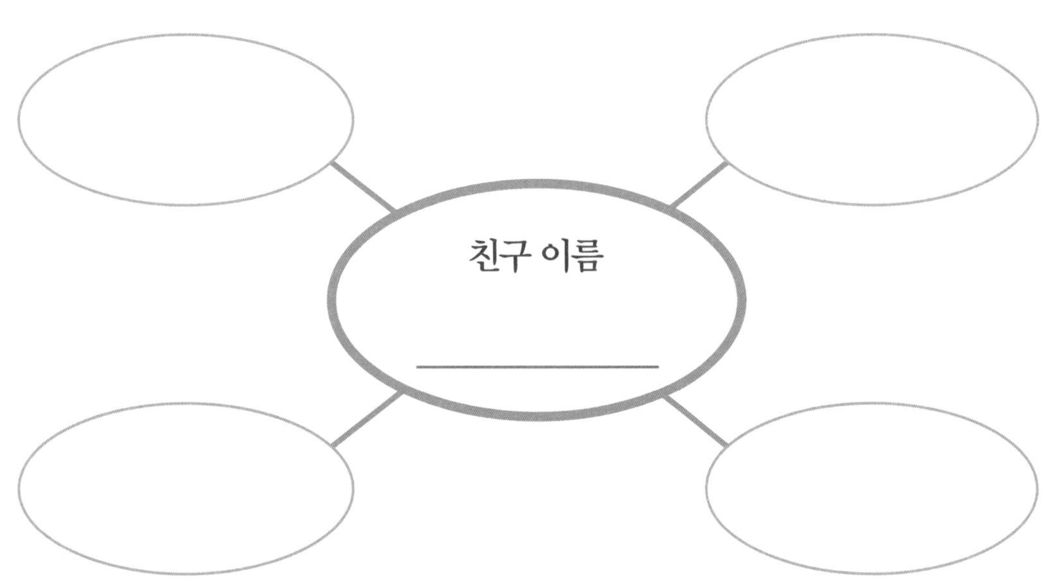

되돌아보기

1. 제시된 자음자로 만들 수 있는 낱말을 보기 에서 찾아 써 봅시다.

보기

분석　　**역할**　　**구분**　　**연결**

1) **ㄱ ㅂ** (　　　　　　　　　　)

2) **ㅇ ㅎ** (　　　　　　　　　　)

3) **ㅂ ㅅ** (　　　　　　　　　　)

4) **ㅇ ㄱ** (　　　　　　　　　　)

2. 알맞은 낱말에 ○표 해 문장을 완성해 봅시다.

1) 다른 그림과 (구별되는 / 이해되는) 점을 찾았다.

2) 사진을 보고 토끼의 생김새를 (분석해 / 판단해) 보았다.

3) 두 점 사이를 선으로 (연결했다 / 평가했다).

3. 닭의 생김새를 분석하여 각 부분의 특징을 써 봅시다.

4. 다음 글을 세 부분으로 나누어 읽고, 각 부분의 주요 내용을 말해 봅시다.

평창 올림픽

2018년 2월 평창에서 동계 올림픽이 열렸다. 평창 올림픽의 마스코트는 반다비와 수호랑이다. 수호랑은 흰 호랑이의 모습이고, 반다비는 반달곰의 모습이다.

평창 올림픽에는 모두 15개 종목의 경기가 열렸다. 스키, 스케이트, 컬링, 아이스하키, 스노보드 등 다양한 종목 중 대한민국은 17개의 메달을 따냈다.

평창 올림픽의 참여국은 93개국으로 3,000여 명의 선수들이 참여했다. 종합 1위는 노르웨이가 차지했으며, 대한민국은 종합 7위를 했다.

단원 주제

1. 작품을 보고 의견 말하기
2. 의견이 적절한지 생각해 보기

14

함께 생각해요

서영이와 함께 만드니까 더 재미있네. 우리가 만든 물건의 좋은 점과 고칠 점은 무엇일까?
준비물을 실수로 집에 두고 왔어. 타이선이 도와줘서 정말 고마워.

작품을 보고 의견 말하기

1. 활동 모습을 살펴보고 물음에 답해 봅시다.

1) 작품의 좋은 점을 소리 내어 읽어 보세요.

2) 작품의 고칠 점을 써 보세요.

 **어려운 말이 있어요? 확인해 봐요.**

장단점

이렇게 사용해요

각 놀이의 장단점을 비교해 보았다.
수업 시간에 스마트폰의 장단점에 대해 알아 보았다.

평가

사물의 귀중한 정도나 수준을 정하는 것을 평가라고 해요. 수업 시간에 하는 평가 활동에는 활동을 열심히 했는지, 작품이 잘 만들어졌는지, 찾은 답이 적절한지 등을 생각해 보는 것이 있어요.

2. 글을 읽고 작품의 잘된 점과 고칠 점을 찾아 밑줄을 그어 봅시다.

오늘 과학 시간에 '박물관 전시실 꾸미기' 활동을 했다. 나는 지층 전시실을 만들었다. 서영이가 내 작품을 보고 지층을 고무찰흙으로 표현한 것이 잘된 점이라고 했다. 타이선은 사진 밑에 지층의 모양을 글로 써서 정리하면 더 좋겠다고 말했다.

의견이 적절한지 생각해 보기

1. 회의 활동을 살펴봅시다.

1) 회의 주제는 무엇이에요?

2) 친구들이 제시한 의견을 써 보세요.

장위	
타이선	
서영	

2. 친구들이 제시한 의견을 평가하는 방법에 대해 알아봅시다.

1) 다음 대화를 살펴보고, 의견을 평가하는 기준을 찾아 소리 내어 읽어 보세요.

2) 평가 기준을 찾아 쓰고 의견을 평가해 보세요.

기준 / 의견	의견이 주제와 관련 있는가?	________ ________가?	________ ________가?
하고 싶은 역할을 하자.			
번호 순서대로 정하자.			
자기가 원하는 친구랑 짝을 하자.			

(그렇다: ○ 그렇지 않다: △)

회의

여러 사람이 모여 어떤 일에 대해 다양한 의견을 나누는 것을 회의라고 해요. 회의를 하면 여러 사람의 의견을 듣고 문제를 해결할 수 있는 좋은 방법을 찾을 수 있어요. 또 같이 해야 할 일을 결정할 수 있어요.

어려운 말이 있어요? 확인해 봐요.

적절한(적절하다)

이렇게 사용해요

장위는 선생님의 질문에 적절하게 대답했다.
가을은 날씨가 좋아 체험 학습을 가기에 적절해.

판단

이렇게 사용해요

준서는 누구의 말을 들을지 판단을 내리지 못했다.

너무 더워서 운동장 놀이는 하기 힘들다고 판단했다.

고려

이렇게 사용해요

실험 도구를 고려해서 실험 계획을 세웠다.
그 문제는 아직 고려 중이라 결정을 못 했다.

3. 제시된 의견을 평가해 봅시다.

기준 / 의견	의견이 주제와 관련 있는가?	실천할 수 있는가?	의견과 근거가 관련 있는가?

(그렇다: ○ 그렇지 않다: △)

함께 해 봐요

1. '생활 속 보물찾기' 놀이를 해 봅시다. 부록

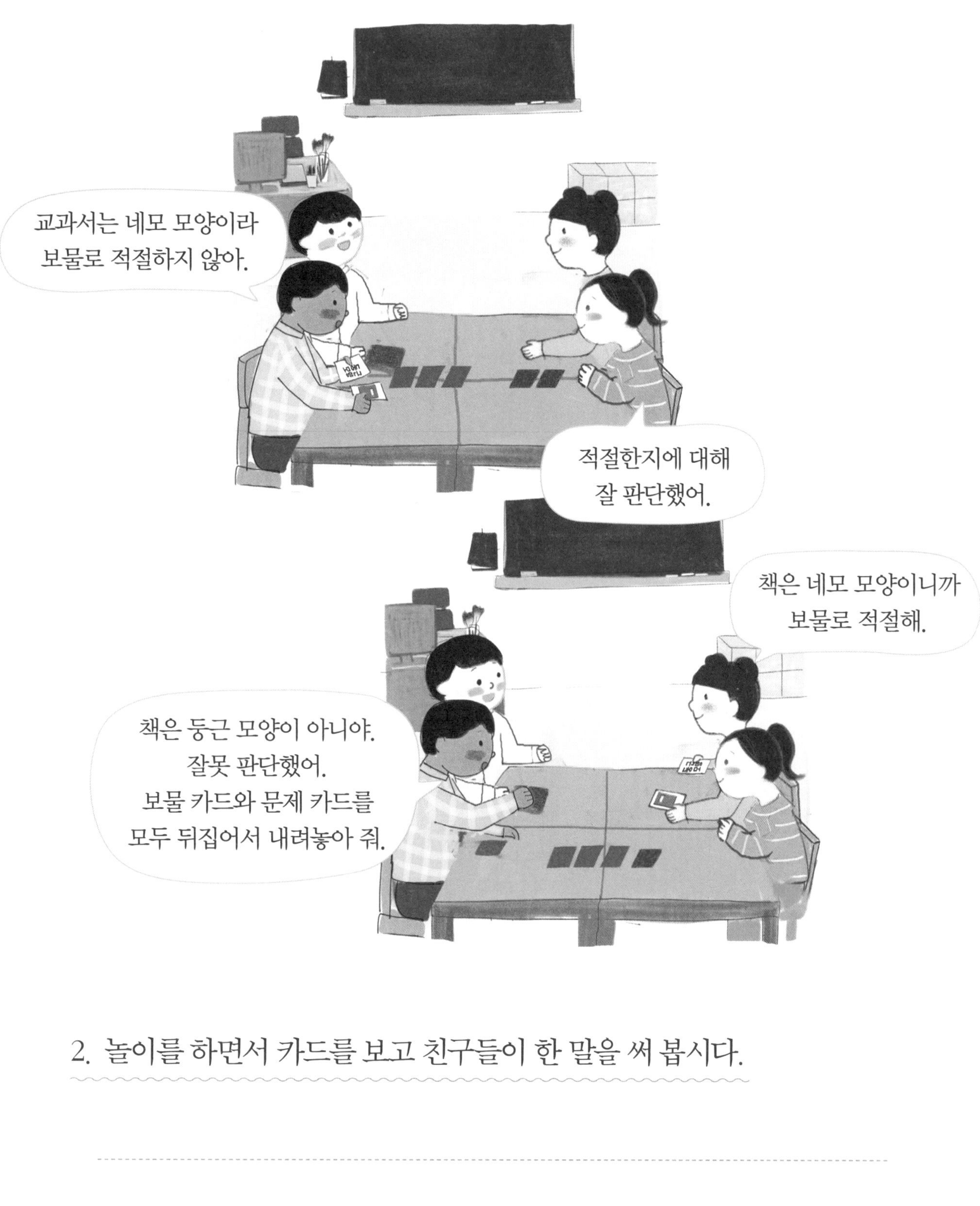

2. 놀이를 하면서 카드를 보고 친구들이 한 말을 써 봅시다.

되돌아보기

1. 글자판에서 **보기** 의 낱말을 찾아 ○표 해 봅시다.

보기

고려　　**장단점**　　**적절하다**　　**판단**

고	려	가	리	설	별	사
난	기	사	판	명	희	구
장	회	고	도	단	수	과
단	이	부	하	랑	책	적
점	유	탕	여	택	광	절
황	체	익	자	육	다	하
관	련	짓	다	힘	상	다

2. 알맞은 낱말에 ○표 하여 문장을 완성해 봅시다.

1) 잘함과 못함에 대한 (판단은 / 방법은) 사람마다 다르다.

2) 조사를 할 수 있는 (적절한 / 비교한) 방법을 찾았다.

3. 회의 활동을 살펴보고 물음에 답해 봅시다.

'점심밥을 먹을 때 누가 먼저 먹으면 좋을까?'를 주제로 회의를 시작하겠습니다. 의견을 말해 주세요.

번호 순서대로 돌아가며 먹었으면 좋겠습니다. 누구나 먼저 먹을 수 있습니다.

놀이에서 이긴 사람이 먼저 먹었으면 좋겠습니다. 친구들이 놀이를 열심히 할 것입니다.

1) 회의 주제가 무엇이에요?

2) 친구들이 제시한 의견을 써 보세요.

장위	
타이선	

3) 회의 주제에 대한 내 의견을 써 보세요.

나	

4) 아래 기준을 고려하여 친구와 내가 말한 의견이 적절한지 평가해 보세요.

회의 주제와 관련 있나요?	실천할 수 있나요?	의견과 근거가 관련 있나요?

단원 주제

1. 과학적 문제 해결하기
2. 해결 방법을 제안하는 글 쓰기

15

이렇게 해결해요

과학적 문제 해결하기

1. 실험 계획서를 읽고 물음에 답해 봅시다.

실험 주제	플라스틱과 쇠를 어떻게 분리할 수 있을까?
무엇이 필요할까요?	쇠구슬, 플라스틱 구슬, 자석, 접시
어떻게 할까요?	1. 쇠구슬과 플라스틱 구슬을 관찰하여 특징을 살펴본다. 2. 물질의 어떤 성질을 이용하여 분리할 수 있을지 생각해 본다. 3. 자신이 생각한 방법으로 쇠구슬과 플라스틱 구슬을 분리해 본다.

1) 장위가 궁금한 점은 무엇이에요?

2) 장위가 궁금함을 풀기 위해 계획한 실험 방법을 소리 내어 읽어 보세요.

2. 그림을 살펴보고 장위가 문제를 어떻게 해결할지 써 봅시다.

3. 문제 해결 과정의 각 단계와 어울리는 내용을 선으로 이어 봅시다.

문제 상황 알기	●	●	바구니에 쏟은 압정을 자석을 이용하여 골라낸다.
문제 해결 방법 찾기	●	●	바구니에 압정을 쏟았다.
문제 해결하기	●	●	실험으로 압정의 성질을 알아본다.

문제 해결 과정

문제를 해결하기 위해서는 먼저 주어진 상황에서 문제가 무엇인지 찾아야 해요. 다음으로 문제 해결을 위한 다양한 방법을 생각해요. 마지막으로 가장 좋다고 생각하는 방법으로 문제를 해결해 봐요. 이때 문제가 해결되지 않으면 다른 방법을 찾아봐요.

어려운 말이 있어요? 확인해 봐요.

분리

이렇게 사용해요 쓰레기를 분리해서 버렸다.
물 위에 뜬 기름을 분리했다.

결과

이렇게 사용해요 경기 결과를 예상했다.
열심히 했으니 좋은 결과가 있을 거야.

해결 방법을 제안하는 글 쓰기

1. 그림을 보고 물음에 답해 봅시다.

1) 준서가 넘어진 이유는 무엇이에요?

2) 말한 사람과 생각을 알릴 방법을 선으로 이어 보세요.

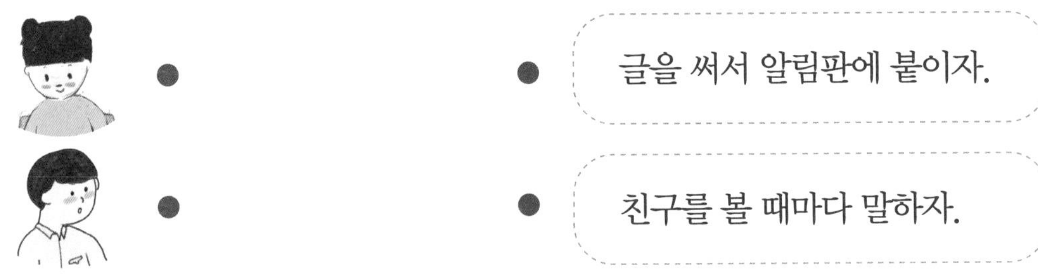

3) 타이선이 효과적이라고 말한 방법을 소리 내어 읽어 보세요.

2. 글을 읽고 물음에 답해 봅시다.

운동장에서 저와 함께 놀던 친구가 쓰레기에 걸려 넘어지는 일이 있었습니다. 다행히 제 친구는 다치지 않았습니다. 하지만 다른 친구들은 넘어져 다칠 수도 있습니다. 운동장에 쓰레기를 버리지 않았으면 좋겠습니다. 쓰레기를 버리지 않으면 운동장이 깨끗해져 안전하게 운동장을 사용할 수 있습니다.

1) 타이선이 겪은 문제 상황에 밑줄을 그어 보세요.

2) 타이선이 문제를 해결하기 위해 제시한 의견을 써 보세요.

3) 타이선이 위와 같은 의견을 제시하는 까닭을 소리 내어 읽어 보세요.

제안

어떤 일을 좋은 쪽으로 해결하기 위해 의견을 내놓는 것을 제안이라고 해요. 이런 제안이 드러나는 글을 제안하는 글이라고 해요. 제안하는 글을 쓰면 문제 상황과 해결 방법을 알릴 수 있다는 좋은 점이 있어요.

제안하는 글을 쓸 때는 '~합시다.', '~하면 좋겠습니다.', '~하면 어떨까요?'와 같은 표현을 사용해요.

어려운 말이 있어요? 확인해 봐요.

떠올려(떠올리다)

이렇게 사용해요

전학 간 친구의 얼굴을 떠올렸다.
지난 체육 시간을 떠올리면 웃음이 나왔다.

효과적

이렇게 사용해요

그림은 낱말의 뜻을 알려 주기에 효과적이다.
달리기는 체력을 키울 수 있는 효과적인 방법이다.

까닭

이렇게 사용해요

얼음이 녹는 까닭을 알아보았다.
계절이 바뀌는 까닭이 궁금했다.

3. 제안에 어울리는 까닭을 쓰고, 정리한 내용을 바탕으로 제안하는 글을 써 봅시다.

문제 상황	요즘 친구들이 자기 이름을 놀려서 속상해 하는 아이들이 많다.
제안하는 내용	친구의 이름을 정확하게 불렀으면 좋겠다.
제안하는 까닭	왜냐하면 ______________________ ______________________ 때문이다.

함께 해 봐요

1. '문제 해결 왕' 놀이를 해 봅시다.

2. 놀이를 하면서 기억에 남았던 제안과 제안하는 까닭을 써 봅시다.

되돌아보기

1. 보기 의 글자를 이용하여 이번 단원에서 배운 낱말을 만들어 봅시다.

보기

까 분 닭 효 떠 리 결 과
올 적 렸 과 다

1) 2)

3) 4)

5)

2. 위 낱말을 이용하여 문장을 완성해 봅시다.

1) 수학 시험의 ( )이/가 궁금했다.

2) 오늘 내가 해야 할 숙제를 ( ).

3) 고운 말을 써야 하는 ( )은/는 무엇일까?

4) 위험해서 유리병을 따로 ( )해 놓았다.

5) 친구들과 친해지는 ( )인 방법은 함께 노는 것이다.

3. **보기** 에서 문제 상황과 그에 어울리는 제안 및 제안하는 까닭을 골라 제안하는 글을 써 봅시다.

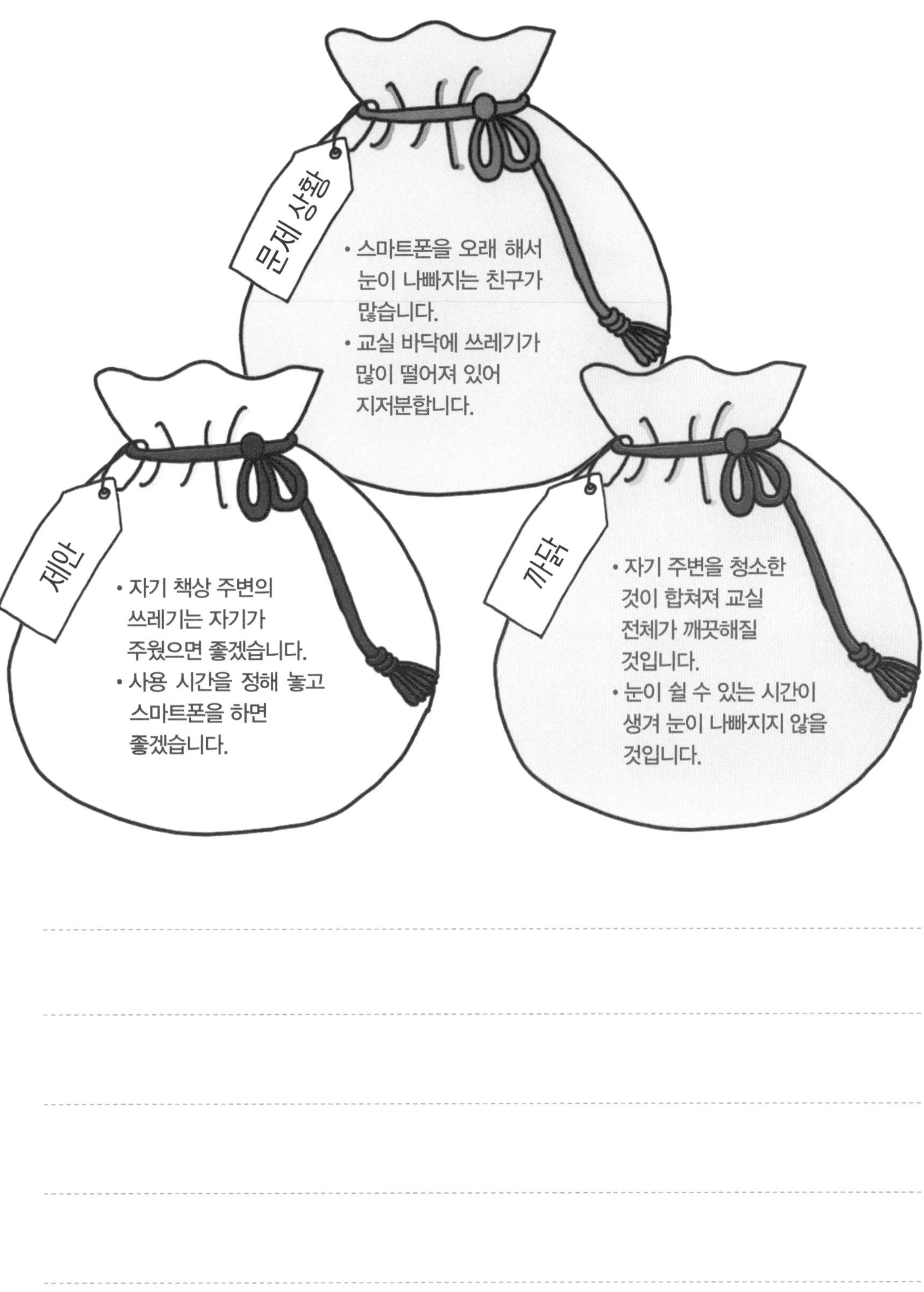

단원 주제

1. 미래의 나 상상하기
2. 상상하는 글 쓰기

16

나의 꿈

여러분은 20년 후에
어디에서 무엇을 하고 있을까요?
상상해 보세요.
20년 후 나 상상하기
나는 20년 후에
의사 선생님이 되어 있을 거야.

미래의 나 상상하기

1. 다니엘이 미래의 자기 모습을 상상하며 쓴 글을 읽어 봅시다.

미래의 나

20년 후면 나는 서른한 살이 될 것이다. 그때 나는 병원에서 환자를 치료하는 의사가 되어 있을 것이다. 초등학교 다닐 때부터 의사가 되는 것이 꿈이었기 때문이다. 어릴 때는 다른 사람을 치료하고 병에 걸리지 않게 도와주는 의사 선생님이 멋지고 대단해 보였다. 커 가면서 의사라는 직업의 좋은 점을 더 많이 알게 되었다. 그 이후로 내 꿈은 의사가 되는 것이었다. 의사가 되면 아픈 사람들을 치료하고 병을 예방하기 위해 많은 노력을 할 것이다. 나는 열심히 공부하여 의사라는 나의 꿈을 실현할 것이다. 어른이 되어 꼭 의사가 되고 싶다.

어려운 말이 있어요? 확인해 봐요.

미래

이렇게 사용해요
나는 미래에 어떤 직업을 가지게 될까?
미래 사회에는 로봇이 많은 일을 할 것이다.

상상

이렇게 사용해요
사람도 날 수 있다는 상상을 해 보았다.
오늘 학교에서 과학 상상 그림 그리기 대회가 열렸다.

실현

이렇게 사용해요
선생님이 되는 꿈을 실현하고 싶어요.
나의 꿈을 실현하기 위해 노력할 것이다.

2. '20년 후의 나'는 무엇을 하고 있을지 생각해 봅시다.

1) 1년 후 나의 모습을 그려 보고 무엇을 하고 있을지 상상해서 써 보세요.

1년 후 나의 모습

1년 후 나는 (   )학년이 되어 있을 것입니다. 공부도 열심히 하고 키도 더 자랄 것입니다. 그리고 잘하는 것이 점점 더 많아질 것입니다.

2) 20년 후 나의 모습을 그려 보고 무엇을 하고 있을지 상상해서 써 보세요.

20년 후 나의 모습

____

____

____

상상하는 글

새로운 이야기를 생각하거나 나의 꿈이나 미래를 생각한 것을 글로 쓰면 상상하는 글이 돼요. 상상하는 글을 쓰려면 다음과 같은 것들을 생각하면 도움이 되지요. '만약 내가 ~라면', '미래의 ~의 모습', '우주 여행을 가게 된다면'과 같이 지금은 실현되지 않는 상황이나 지금과 반대되는 사례를 떠올려 보면 좀 더 상상이 잘 돼요.

상상하는 글 쓰기

1. '내가 만약 선생님이 된다면'이라는 주제로 상상하는 글을 써 봅시다.

1) 주제를 보고 여러 가지 생각을 떠올려 보고 생각 그물로 표현해 보세요.

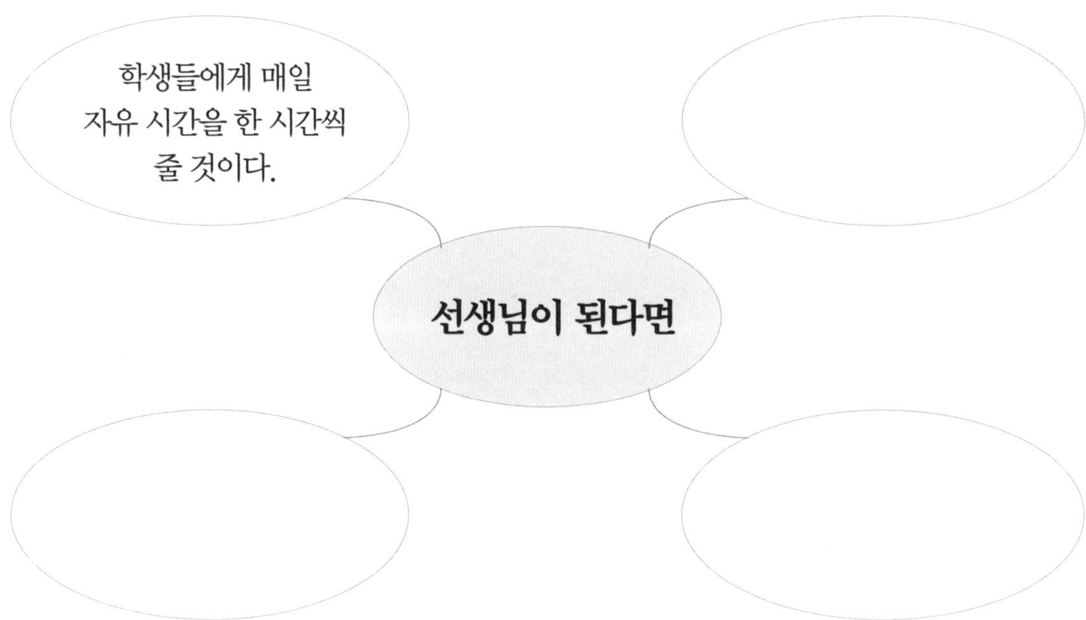

2) 위에 썼던 내용을 글로 정리해서 발표해 보세요.

2. 상상한 것을 일기로 써 봅시다.

1) 일기 쓰는 차례를 알아보세요.

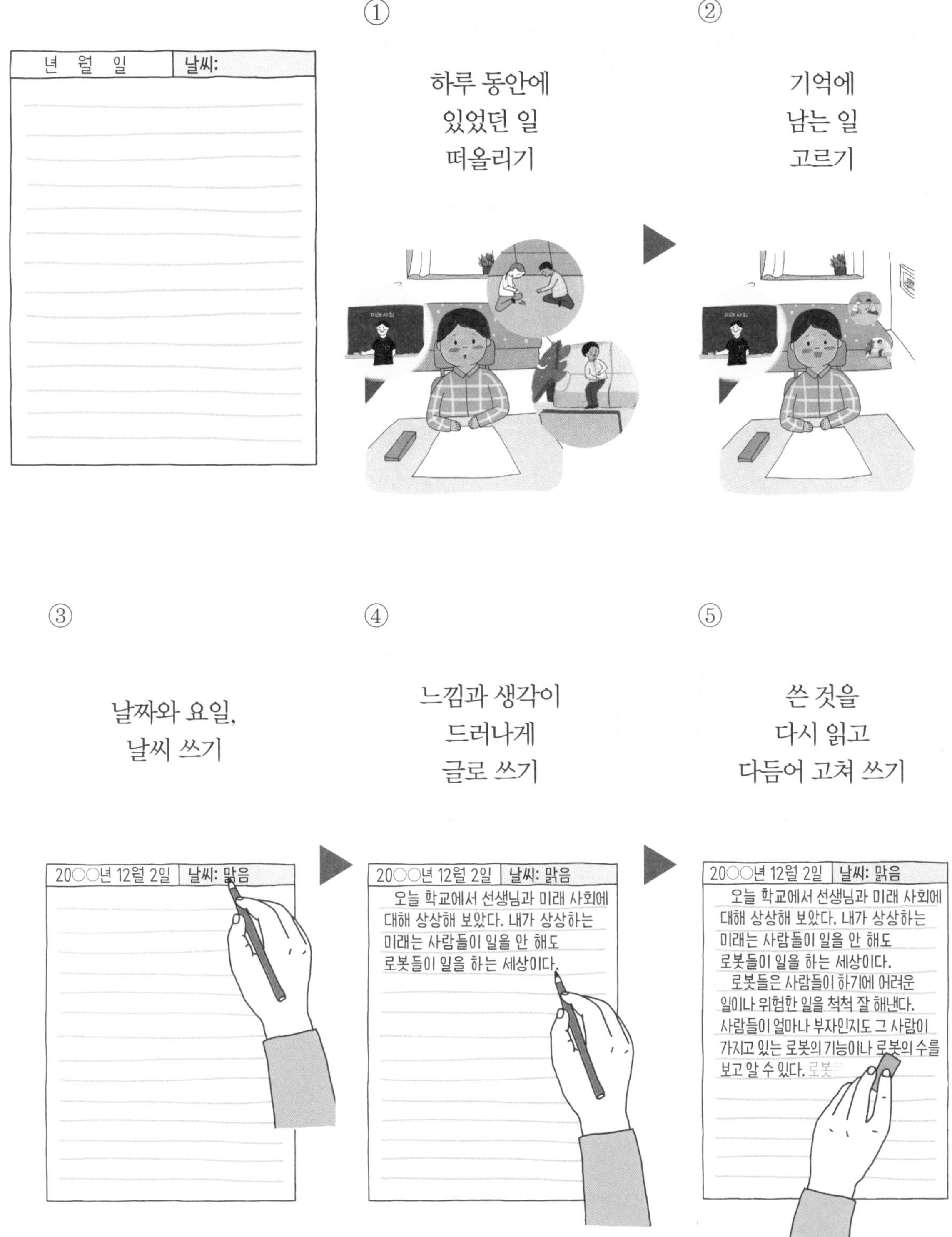

2) 다음은 타이선의 일기예요. 일기에는 어떤 내용이 들어가는지 잘 살펴보세요.

날짜와 요일, 날씨를 써요.

○○월 ○○일 수요일	날씨: 맑음

제목을 써요.

제목: 축구 선수가 된다면(상상 일기)

지금 나는 축구 국가 대표 선수이다. 월드컵에 나와서 한국 국가 대표 팀의 축구 공격수를 맡았다. 오늘 경기는 월드컵 결승 경기로 프랑스와 붙게 되었다. 프랑스는 축구를 잘하는 선수들이 많다. 하지만 한국에는 축구를 잘하는 선수들이 더 많다. 나는 국가 대표 자격을 어렵지 않게 얻어 이 경기에 나올 수 있었다. 어릴 때부터 내 꿈은 축구 선수였다. 그리고 축구 실력도 뛰어나서 항상 다른 선수들보다 돋보였다. 이제 이 경기만 이기면 월드컵 우승이다. 나와 모든 선수들이 오늘 최선을 다해 경기를 할 것이다. 조금은 긴장되지만 평소처럼 하면 꼭 우승할 것이라는 생각이 든다.

상상한 내용을
자세히 줄글로 써요.

 **꼬마 수업** **여러 가지 일기**

일기는 오늘 나에게 있었던 일 중에서 기억에 남는 것, 특별한 것을 주로 쓰지만, 다른 내용과 형식으로도 쓸 수 있어요. 선생님께서 정해 주시는 주제에 따라 쓰는 주제 일기, 책을 읽은 후 생각하고 느낀 점을 쓰는 독서 일기, 신문을 읽고 나서 쓰는 신문 일기, 이야기나 미래의 일을 상상해서 쓰는 상상 일기, 관찰한 것을 쓰는 관찰 일기, 조사한 것을 쓰는 조사 일기, 만화로 표현하는 만화 일기, 동시로 표현하는 동시 일기 등이 있어요.

3) 상상 일기를 써 보고 발표해 보세요.

년 월 일 요일	날씨:
제목:	

함께 해 봐요

1. '상상의 동물 만들기' 놀이를 해 봅시다.

〈놀이 방법〉

① 모둠별로 선생님께 주시는 동물 그림 카드를 10장씩 받는다.

② 모둠에서 3장의 카드를 뽑는다.

③ 뽑은 카드들을 모아서 상상의 동물을 그리고, 상상의 동물에 이름을 붙인다.

④ 상상의 동물을 발표한다.

여러분이 받은 카드에서 3장을 뽑아 보세요.
각 카드에는 동물의 모습 일부분이 나와 있어요.
이것을 가지고 모둠의 친구들과
함께 상상의 동물을 그리고 이름도 지어 볼 거예요.
완성하면 발표해 보세요.

2. 다른 모둠에서 만든 상상의 동물 이름을 써 봅시다.

되돌아보기

1. 각 낱말에 알맞은 뜻을 찾아 선으로 이어 봅시다.

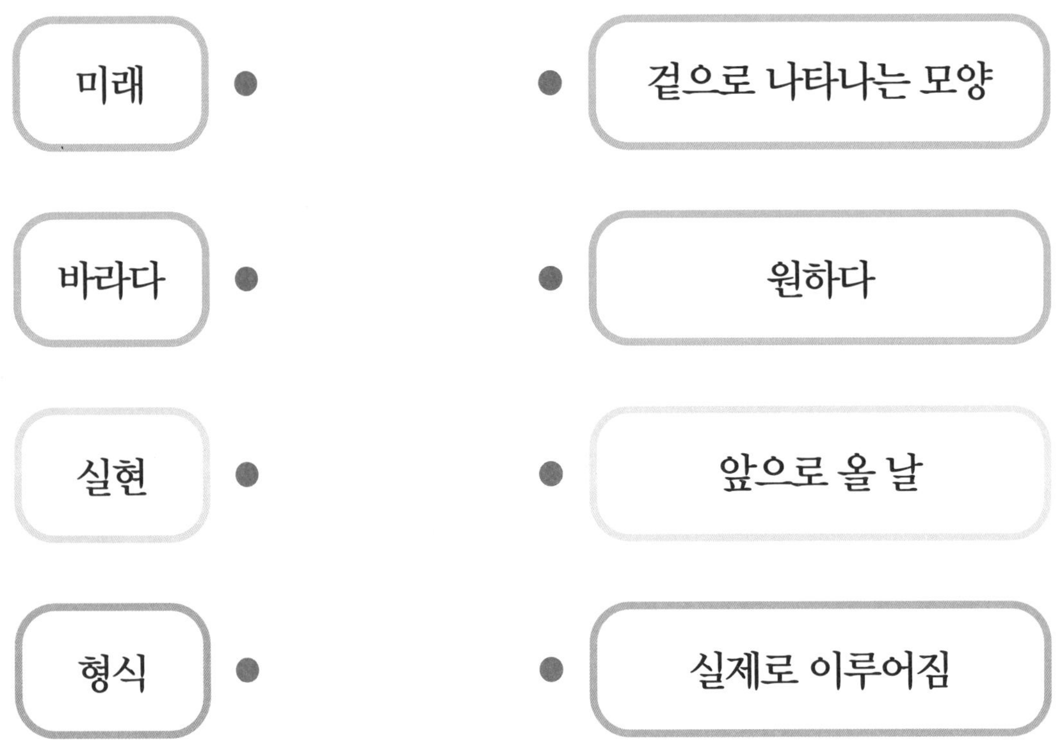

2. 다음 표현을 사용하여 문장 하나를 만들어 봅시다.

좋은 점

떠올리다

3. 서영이가 일기를 쓰다 잠이 들었습니다. 여러분이 서영이 일기를 완성해 봅시다.

2019년 12월 27일 금요일	날씨: 눈이 많이 온 날

제목: 기다리고 기다리던 방학식 날

오늘은 겨울 방학식 날이다. 아침부터 들뜬 마음으로 학교로 갔다. 친구들도 방학을 맞이해서 그런지 많이 들떠 있었다. 선생님도 여러 가지 일로 바빠 보이셨다. 그런데 갑자기 교실 밖에서 화재경보기 사이렌 소리가 “앵~” 하고 귀가 찢어질 듯 크게 들렸다.

정답

1단원 · 주변을 살펴봐요

〈1〉 궁금한 것을 관찰 주제로 정하여 발표하기

2. 2) 궁금했다. → 궁금했습니다.
관찰을 하려고 한다. → 관찰을 하려고 합니다.

4. 저는 개구리를 좋아합니다. 개구리가 소리를 내는 모습을 보면 정말 신기합니다. 그 모습을 보면서 개구리가 어떻게 소리를 내는지 언제나 궁금했습니다. 그래서 개구리가 소리를 내는 모습을 관찰 주제로 정했습니다.

〈2〉 여러 가지 관찰 방법 알아보기

2. 2) 돋보기를 사용하면
청진기를 대면
3)

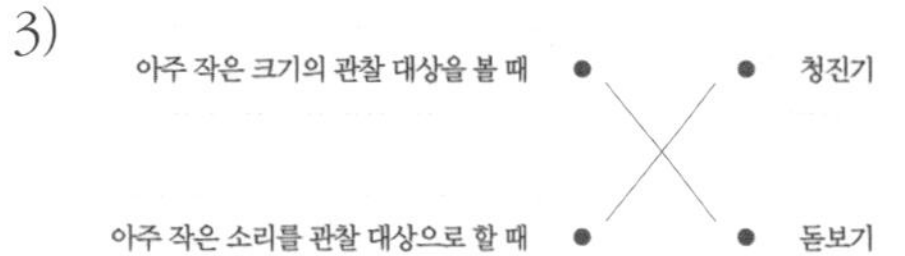

〈3〉 함께 해 봐요

2. 내가 한 말: 나는 2번 자리에서 출발! 아래로 한 칸.
친구가 한 말: 그러면 나는 3번 자리에서 출발! 둥글게 위로 한 칸.

내가 한 말: 이리 보고, 저리 보고, 다시 아래로 한 칸.
친구가 한 말: 이리 보고, 저리 보고, 나는 다시 둥글게 한 칸.

〈4〉 되돌아보기

3. ① 설명
② 대화하기
③ 전달되는
④ 정하기

2단원 · 그럴 줄 알았어

〈1〉 낱말의 뜻을 생각하며 글을 읽기

1. 3) 말하다(말하기)/말

2. 2) 말을 해서 의견을 나타내는 것. 또는 그 말.

〈2〉 추리한 것을 말하기

3. 3) 공책에 흙이 묻어 있어. 막대 모양이야. 동생이 찰흙 막대를 만들고 있었어. 책상 위에는 동생의 필통이 있어.

동생이 찰흙 막대를 만들고 있었고 책상 위에는 동생의 필통이 있기 때문이야.

4. 누군가 걷고 있어요. 발자국이 찍혀 있어요. 그런데 갑자기 모래가 막 흩어져 있어요. 넘어진 것 같아요. 그리고 넘어질 때 한쪽 다리를 다친 것으로 추리할 수 있어요. 왜냐하면 한쪽 발자국만 보이기 때문이에요. 다친 발을 들고 나머지 한 발로만 가는 것을 생각할 수 있어요.

〈3〉 함께 해 봐요

1.

8	1	6
3	5	7
4	9	2

2. 가로줄을 더하면 15가 돼요. 가로줄, 세로줄, 대각선의 숫자를 더했을 때 모두 15가 되도록 숫자를 찾아야 해요. 가운데 물음표 칸에 먼저 숫자 5를 넣어요. 5 아래에는 9를 넣어요. 가로줄에서 5 옆의 오른쪽 칸에는 7을 넣어요. 숫자 9의 옆 칸에는 2를 넣어요. 이렇게 숫자를 다 찾았어요.

〈4〉 되돌아보기

3. 1) 등장
짐작한 뜻: 나타나다(나오다)
짐작한 이유: "주인공이 걸어 나왔다."라는 문장이 있다.

2) 등장: 사람이 무대 등에 나타남.

3단원 · 먼저 계획해요

〈1〉 글로 쓸 내용을 적은 계획표 알아보기

1. 1) 어떤 내용을 어떻게 쓸지 생각해 보아야 해요.
2) 언제, 어디에서, 누구와, 무슨 일, 생각이나 느낌

2. 예 개인 달리기에서 1등을 했다.

〈2〉 조사할 내용을 적은 계획표 살펴보기

1. 1) 강의 모습이 왜 다른지 조사하고 싶어 해요.
2) 조사하기 전에 무엇을 어떻게 조사할지 계획을 먼저 세워 볼까?

2. 1) 조사 주제, 조사 목적, 조사 내용
2) 관련된 책이나 사진 찾아보기, 인터넷 검색하기, 어른들께 여쭤보기의 방법으로 조사하기로 했어요.

3. 모래사장, 갯벌
관련된 책이나 사진 찾아보기, 인터넷 검색하기

〈3〉 함께 해 봐요

2. 예

무슨 계획을 세웠니?	글쓰기 계획을 세웠어.
어디에서 있었던 일이니?	과학관에서 있었던 일이야.
무슨 일이 있었니?	친구들과 함께 지진 체험을 했어.
생각이나 느낌은 어땠니?	지진이 나면 어떻게 해야 할지 알게 되어 뿌듯했어.

예

무슨 계획을 세웠니?	조사 계획을 세웠어.
조사 주제는 무엇이니?	바닷가 주변의 모습을 조사했어.
무엇을 조사했니?	바닷가 동굴의 모습이 드러난 사진 자료를 조사했어.
어떻게 조사했니?	인터넷을 검색했어.

〈4〉 되돌아보기

3. 무슨 일: 우리 반 친구들과 함께 큰 공 굴리기 놀이를 했다.
생각이나 느낌: 큰 공을 굴리는 것이 어려웠지만 친구들과 함께 해서 즐거웠다.

4. 조사 내용: 바닷가 절벽의 모습이 드러난 사진 자료
조사 방법: 관련된 책이나 사진 찾아보기, 인터넷 검색하기

4단원 · 같으면서 달라요

〈1〉 공통점과 차이점을 찾는 활동 이해하기

1. 1) 둘 다 자전거이고, 이동 수단이라는 공통점이 있어.
2) 두발자전거는 바퀴가 두 개이고 핸들이 있는데, 외발자전거는 바퀴가 한 개이고 핸들이 없어.

2. ㊎

	벽시계	손목시계
공통점	시계이다. 시간을 알려 준다. 긴바늘과 짧은 바늘이 있다. 12칸으로 나눠져 있다.	
차이점	벽에 건다. 크기가 크다. 손목시계보다 무겁다.	손목에 찬다. 크기가 작다. 벽시계보다 가볍다.

〈2〉 차이점을 확인하며 사물을 살펴보기

1.

	유리컵	금속 컵
공통점	물을 담을 수 있다. 컵이다.	
차이점	유리로 만들어졌다. 투명하다.	금속으로 만들어졌다. 투명하지 않다.

2. 1) 유리컵, 금속 컵
2) 유리컵과 금속 컵은 둘 다 컵입니다. 물을 마실 때 사용한다는 공통점도 있습니다.
3) 유리컵은 유리로 만들어집니다. 유리는 투명하여 안에 무엇이 있는지 쉽게 알 수 있습니다. 금속 컵의 재료는 금속입니다. 금속은 투명하지 않아 안에 담긴 것이 보이지 않습니다.

3. ㊎

	축구공	농구공
공통점	동그란 공 모양이다. 운동 경기나 체육 시간에 사용한다.	
차이점	축구를 할 때 사용한다. 공을 발로 찬다. 농구공보다 크기가 작고 가볍다.	농구를 할 때 사용한다. 공을 손으로 치거나 던진다. 축구공보다 크기가 크고 무겁다.

4. ㊎ 축구공은 축구를 할 때 사용한다. 축구공으로 드리블을 하거나 골을 넣을 때 발을 사용한다. 축구공은 농구공보다 크기가 작고 가볍다.
농구공은 농구를 할 때 사용한다. 손바닥으로 농구공을 치면서 드리블을 한다. 골을 넣을 때에는 손으로 농구공을 던진다. 농구공은 축구공보다 크기가 크고 무겁다.

〈3〉 함께 해 봐요

2. ㊎ 유리컵과 금속 컵은 모두 물을 마실 때 사용해. 유리컵은 잘 깨지는데, 금속 컵은 잘 안 깨져.

〈4〉 되돌아보기

1. 가로 열쇠 세로 열쇠
① 공통점 ② 차이점
③ 이동 ④ 비교
⑤ 특징

2. ㊎ 축구공과 농구공은 공이라는 공통점이 있어./축구공과 농구공은 공이라는 공통점

이 있다.
축구공과 농구공을 비교해서 살펴봤어./
축구공과 농구공을 비교해서 살펴봤다.

3. 1) • 연주를 할 수 있다는 차이점도 있습니다.
• 리코더는 손으로 때리거나 채로 쳐서 소리를 냅니다.
• 입으로 불어 소리를 낸다는 점에서 리코더와 공통점이 있습니다.
2) ① 연주를 할 수 있다는 공통점도 있습니다.
② 리코더는 입으로 불어 소리를 냅니다.
③ 손으로 때리거나 채로 쳐서 소리를 낸다는 점에서 리코더와 차이점이 있습니다.

5단원 · 의견을 나누어요

〈1〉 수학적 문제 해결하기

1. 1) 모양 조각을 사용해 색칠된 부분에 겹치지 않게 덮는 방법을 구하려고 해요.
2) 2칸짜리 직사각형 조각 6개를 먼저 놓고 남은 부분에 3칸짜리 직사각형 조각을 놓았어요.

〈2〉 문제점을 찾아 해결하기

1. 2) 예 자동차가 너무 많아서 길이 막힌다.
자동차에서 나온 매연이 환경을 파괴한다.
3) 두 번째 방법으로 문제를 해결할 수 있어요.

2. 2) 자동차를 이용하는 날을 정하자.
3) 자동차를 이용하지 않는 날을 정하자.

3. 1) 길이 막히는 문제, 자동차를 이용하지 않는 날을 정해야 해.
자동차 매연 문제, 자전거를 더 많이 이용하는 것이 어떨까?

〈3〉 함께 해 봐요

2. (질문) 미세먼지 문제를 해결하려면 어떻게 해야 할까?
(해결 방법)
• 미세먼지 문제를 해결하려면 대중교통을 이용해야 해.
• 미세먼지 문제를 해결하려면 자전거를 이용해야 해.
• 미세먼지 문제를 해결하려면 나무를 많이 심어야 해.

〈4〉 되돌아보기

1.
답을 • • 풀다
시험지를 • • 나누다
의견을 • • 구하다
문제를 • • 해결하다

2. 예 선생님이 내주신 문제의 답을 구했어./선생님이 내주신 문제의 답을 구했다.
수학 시험지를 열심히 풀었어./수학 시험지를 열심히 풀었다.

3. 구하려고 하는 것은 무엇인가요?
바르게 구했는지 확인해 보세요.

4. 예 일찍 자고 일찍 일어나야 합니다.

6단원 · 수행 평가 하는 날

〈1〉 여러 가지 방법으로 평가하기

1. 2) 번호를 쓰지 않았어요. 문제를 다 풀지 않았어요.

〈2〉 수행 평가 과정 익히기

1. 1) 과학 수행 평가가 있어요. 미니북 만들기 수행 평가가 있어요.
   2) 예 음악 수행 평가로 리코더 연주를 했어요.

2. 2) 미니북을 예쁘게 꾸며 완성해요.

〈4〉 되돌아보기

1. 1) 태도
   2) 나타나
   3) 골라
   4) 되돌아봐야
   5) 범위

2. 선생님께서 미리 수행 평가 안내를 해 주세요.
   평가지에 번호와 이름을 써요.
   친구들이 함께 평가해요.

7단원 · 책을 읽고 난 후

〈1〉 이어질 내용 상상하기

2. 2) 예 마을에 사는 사람들과 동물들이 모두 힘을 합쳐 결국 무를 뽑았어요. 엄청난 크기의 무를 가지고 할머니는 맛있는 요리를 많이 만들었어요. 마을 사람들과 동물들이 모두 모여 할머니의 요리를 맛있게 먹었어요.

〈2〉 독서 기록장 쓰기

3. 3) 예 개미는 부지런합니다. 《돼지책》과 다르게 가족들이 자기의 일만 열심히 하고 가족들에게 소홀하여 모두 개미가 되어 버리는 내용으로 변할 것 같습니다.

〈3〉 함께 해 봐요

2. 예 사과 바구니/토끼는 열심히 달리기를 하다가 부엉이가 들고 오는 사과 바구니를 보았어요.

〈4〉 되돌아보기

1.

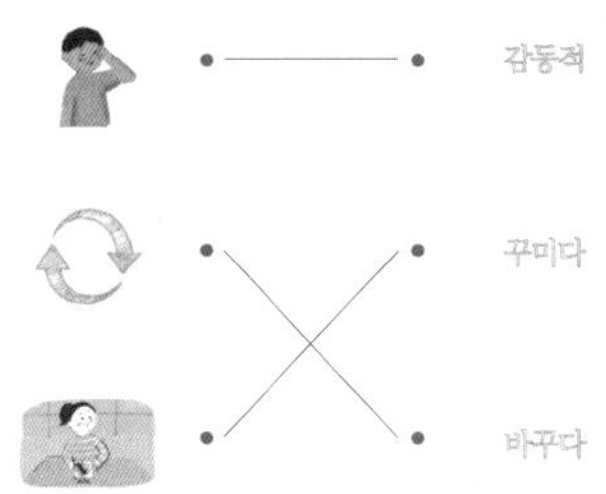

2. 재미

3. 예

제목	강아지똥
지은이	권정생
느낀 점	강아지똥이 민들레꽃을 꼭 안아 줄 때. 행복한 기분이 들었다.

8단원 · 끼리끼리 모아요

〈1〉 기준에 따라 분류하기

1.

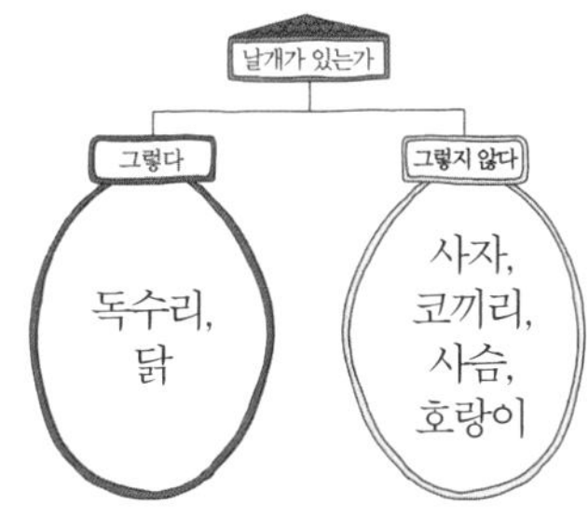

2. 1) '날개가 있는가'를 기준으로 분류했어요.
   2) 먹이를 기준으로 분류하려고 해요.
   3) 기준/닭, 오리, 타조

〈2〉 분류의 방법으로 내용 간추리기

1. 1)

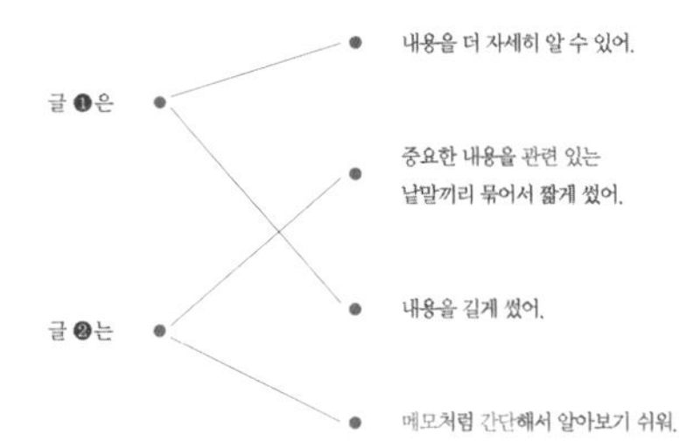

   2) 타악기, 현악기, 관악기

2. 1)

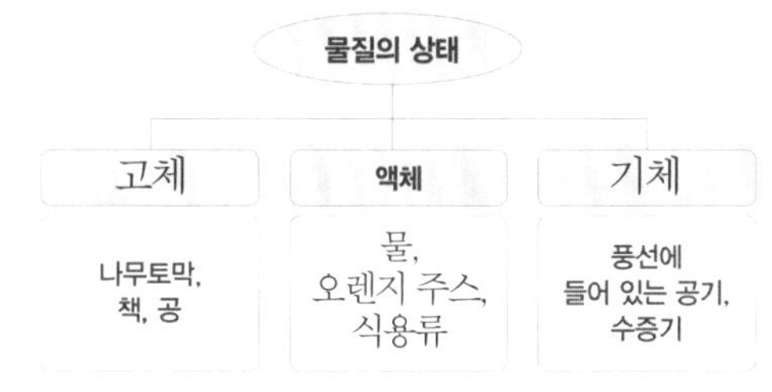

   2) 고체, 액체, 기체

〈3〉 함께 해 봐요

2. 예 • 동물은 생활하는 곳에 따라 분류할 수 있어요.
   • 물속에서 생활하는 동물에는 고래, 상어, 붕어 등이 있어요.
   • 산에서 생활하는 동물에는 호랑이, 다람쥐 등이 있어요.

〈4〉 되돌아보기

1.

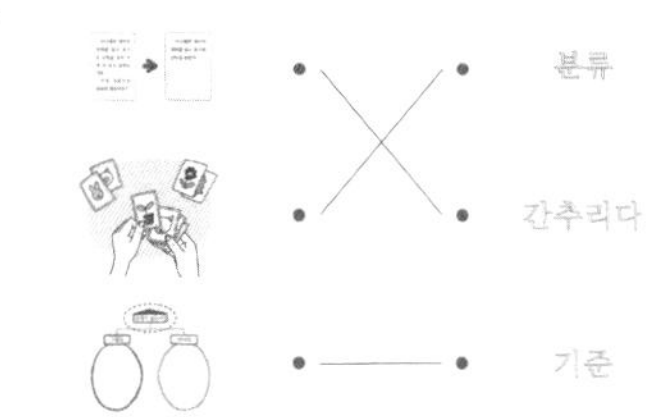

2. 바탕 → 기준

3. 예

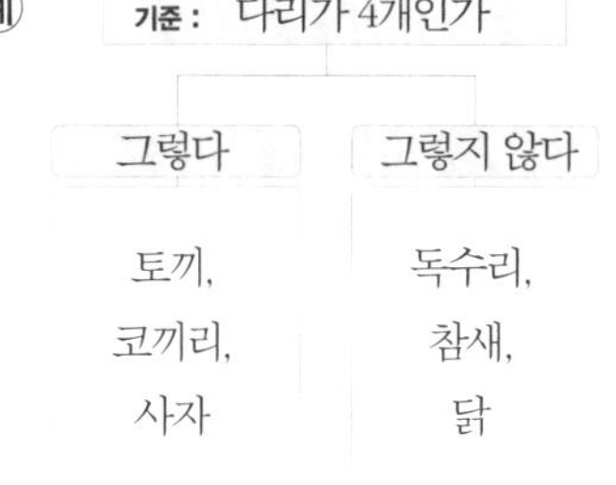

9단원 · 관찰하고 설명하고

〈1〉 그림지도 보고 메모하기

2. 1) 지도를 보면 호랑이는 동물원 입구 오른쪽에 있어요.
   2) 하마가 사는 연못 앞에 살고 있어요./화장실 뒤에 살고 있어요.

3. 오른쪽 길로 계속 걸어가서 사자, 곰을 지나서 가면 코끼리가 있습니다.

〈2〉 화석 사진 보고 설명하기

3. ① 삼엽충 화석: 겹겹이 있는 무늬가 있고 벌레 모양 같습니다. 털 같은 모양이 있습

니다.

② 암모나이트 화석: 달팽이처럼 뱅글뱅글 꼬여 있는 모양 같습니다. 마디마디가 보입니다.

〈4〉 되돌아보기

1.

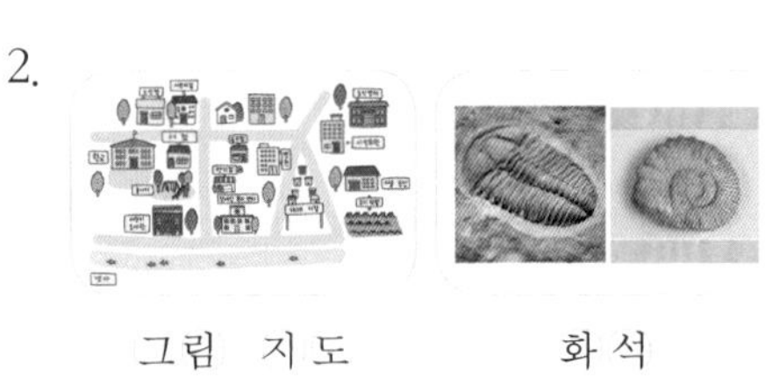

2.

그림 지도 화 석

3. 1) 지도를 보면 냇가 가까이에 있어요./ 놀이터 앞에 있어요.

2) 서점, 놀이터, 노인정, 어린이집이 있어요.

3) 학교를 나와서 오른쪽 길로 걸어가다가 첫 번째 사거리에서 길을 건너 계속 앞으로 걸어요. 그리고 또 사거리가 나오는데 시민회관이 보이면 왼쪽 길로 가요. 거기에 주민센터가 있어요.

10단원 · 알아맞히기

〈1〉 인물의 마음 짐작하기

1. 1) 1등을 할 수 있다는 예상을 했습니다.

2) 속상했습니다./슬펐습니다.

2. 1) 활을 잘 쏘는 아이였어요.

2) 싫어했습니다./미워했습니다.

〈2〉 그림 보고 예상하기

1. 1) ②는 배를 타고 바다에서 고기를 잡는 것을 나타냅니다. ③은 밭에서 농사를 짓는 것을 나타냅니다. ④는 바다에서 잡은 생선을 말리고 있는 모습을 나타냅니다. ⑤는 병원입니다. ⑥은 대형 마트와 공원입니다. ⑦은 아파트입니다. ⑧은 회사와 회사에서 일을 하고 있는 모습을 나타냅니다.

3. 1) ①은 신발 가게입니다. ②는 과일 가게에서 과일을 팝니다. ③은 분식집입니다. ④는 물건을 옮기는 사람입니다. ⑤는 가방 가게입니다. ⑥은 시장에서 물건을 산 엄마와 간식을 들고 있는 아이입니다. ⑦은 정육점입니다.

2) 어떤 가게가 있는지 알아볼 것입니다./사람들이 무엇을 사고파는지 알아볼 것입니다./시장 사람들은 무엇을 하는지 알아볼 것입니다.

〈4〉 되돌아보기

③ 쫓아가던 남자아이가 미안하다고 사과한다./옷이 찢어져서 속상해한다./옷을 움켜쥐고 계속 논다.

11단원 · 조사한 것을 써요

〈1〉 명절 조사하기

3. 추석, 추석, 8. 15, 추석에는 차례를 지낸다. 둥근 보름달을 보고 소원을 빌기도 한다. 추석에는 송편이라는 떡도 먹는다.

〈4〉 되돌아보기

1.

조	방	한	양	력	자
명	사	식	자	작	성
국	기	법	료	풍	부
설	록	명	친	속	모
비	날	절	구	추	석
보	음	력	사	람	랑

12단원 · 비교해서 알아요

〈1〉 물체의 무게를 비교하여 말하기

1. 2) ① 무겁다
   ② 가볍다
   ③ 비슷하다
   ④ 가장, 가장

2. 예 가위가 가장 무거워요(가위가 가장 무겁다). 연필이 가장 가벼워요(연필이 가장 가볍다). 가위보다 색연필이 가벼워요(가위보다 색연필이 가볍다). 연필보다 가위가 무거워요(연필보다 가위가 무겁다). 색연필과 연필은 무게가 비슷해요(색연필과 연필은 무게가 비슷하다).

〈2〉 여러 가지 모습을 비교해서 살펴보기

1. 1) 초가집, 아파트
   2)

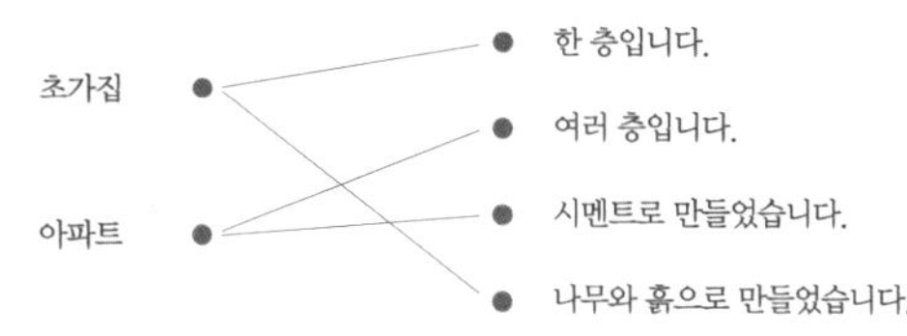

2. 2)

	옛날	오늘날
음식을 만드는 도구	가마솥	전기밥솥
음식을 만드는 도구를 사용할 때 이용한 것	나무	전기

3. 1)

	옛날	오늘날
결혼식을 하는 장소	신부의 집	결혼식장
결혼식 때 입는 옷	한복	턱시도, 드레스
결혼식에 모인 사람들이 하는 일	결혼을 축하한다.	결혼을 축하한다.

2) 예 옛날과 오늘날 결혼식을 하는 장소가 달라요./옛날과 오늘날 결혼식을 할 때 입는 옷이 달라요./옛날에는 신부의 집에서 결혼식을 했는데 오늘날에는 결혼식장에서 결혼을 해요./옛날에는 결혼을 할 때 한복을 입었는데 오늘날에는 턱시도와 드레스를 입어요.

〈3〉 함께 해 봐요

2. 예 문제: 우리 주변에서 모양이 같은 것을 찾아봐.
   답: 책과 공책은 둘 다 네모 모양이야./배구공과 야구공은 모양이 같아.

〈4〉 되돌아보기

1. 실험, 비슷하다, 변화, 다르다, 달라지다

2. 예 과학실에서 실험을 했어./과학실에서 실험을 했다.
   나와 친구의 키는 비슷해./나와 친구의 키는 비슷하다.
   도시의 모습에 많은 변화가 생겼어./도시의 모습에 많은 변화가 생겼다.

동생과 나는 생김새가 달라./동생과 나는 생김새가 다르다.
사람들이 사는 집의 모습이 달라졌어./사람들이 사는 집의 모습이 달라졌다.

3\. 1) ㉮ 개는 고양이보다 무거워./닭은 고양이보다 가벼워./개가 가장 무거워./닭이 가장 가벼워.
2) ㉮ 개는 발이 4개인데 닭은 발이 2개인 점이 달라./개와 고양이 모두 집에서 기르는 점이 같아.

13단원 · 부분으로 나누어 보면

〈1〉 자료를 부분으로 나누어 살펴보기

1\. 1) 잎, 잎자루, 뿌리
2)

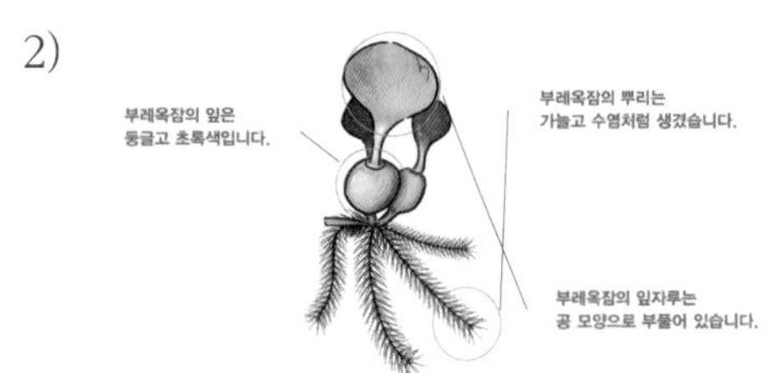

2\. 1) 줄기 바깥 부분, 잎 부분, 줄기 안쪽 부분
2) 줄기 바깥 부분은 둥근 기둥 모양이고 초록색이다. 줄기 안쪽 부분은 미끄럽고 촉촉하다. 잎 부분은 뾰족한 가시로 되어 있다.

〈2〉 글을 부분으로 나누어 읽기

1\. 1) 소개할 문화유산, 소개할 내용, 준비물, 역할 나누기
2) 석굴암이에요.
3)

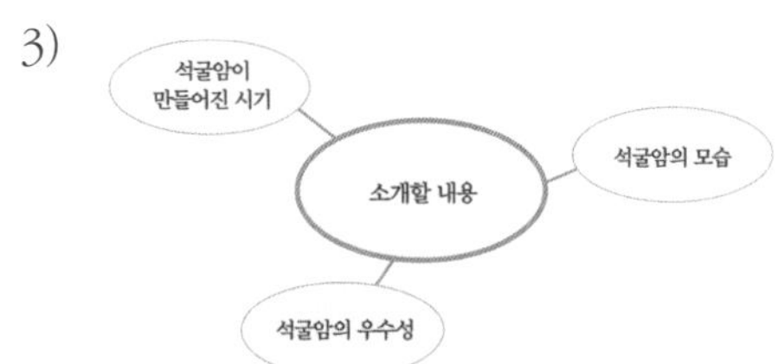

4)

우리 고장의 문화유산 소개 계획서

소개할 문화유산	석굴암
소개할 내용	• 석굴암이 만들어진 시기 • 석굴암의 모습 • 석굴암의 우수성
준비물	도화지, 색연필, 사진, 그림, 조사 자료
역할 나누기	• 타이선: 석굴암이 만들어진 시기와 모습 조사하기 • 준서: 석굴암 사진 찾기 • 서영: 석굴암의 우수성 조사하기 • 장위: 석굴암을 알리는 기사 쓰기

2\. 1)

세계 문화유산 석굴암

석굴암은 신라 시대에 돌을 쌓아 올려 만든 굴 속에 꾸민 절입니다.

석굴암은 둥근 모양의 주실과 네모 모양의 전실이 통로로 연결되어 있는 모습입니다. 주실은 360여 개의 돌로 만든 하늘을 닮은 천장이 있습니다. 주실 가운데에는 커다란 본존불이 있고, 본존불 주위를 불상들이 감싸고 있습니다. 전실은 석굴의 입구로 돌로 만든 벽에 여러 불상이 조각되어 있습니다.

석굴암은 천 년이 넘도록 이끼도 끼지 않고 그대로 남아 있는 놀라운 문화유산입니다. 석굴암은 보호해야 할 세계 문화유산입니다.

2)

석굴암이 만들어진 시기		신라 시대
석굴암의 모습	주실	둥근 모양, 하늘을 닮은 천장, 본존불과 불상
	전실	네모 모양, 석굴의 입구, 불상
석굴암의 우수성		천 년이 넘도록 이끼가 끼지 않음

〈3〉 함께 해 봐요

2\. ㉮

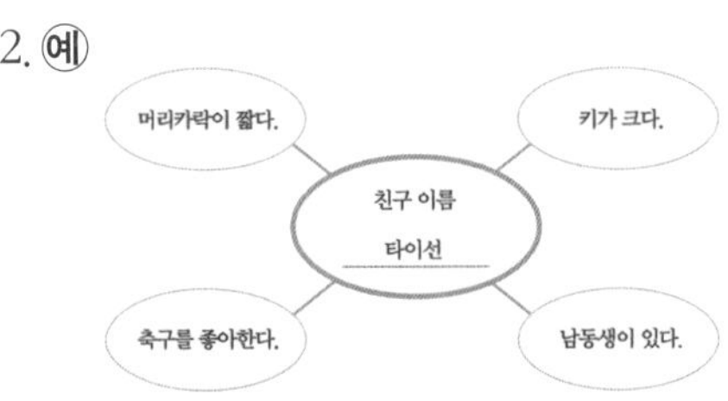

〈4〉 되돌아보기

1\. 1) 구분

2) 역할
3) 분석
4) 연결

2. 1) 구별되는
2) 분석해
3) 연결했다

3. 예 수탉의 머리에는 붉고 톱니 모양의 볏이 있다./수탉의 부리는 뾰족하다./수탉의 꼬리는 화려하다./수탉의 발은 2개이다.

4. 예 1문단의 주요 내용은 평창 올림픽의 마스코트인 반다비와 수호랑이에요.
2문단의 주요 내용은 평창 올림픽에서 15개 종목의 경기가 열렸다는 것이에요.
3문단의 주요 내용은 평창 올림픽의 참여국은 93개국이라는 것이에요.

14단원 · 함께 생각해요

〈1〉 작품을 보고 의견 말하기

1. 1) 옷이 미끄러지지 않아서 좋아.
2) 옷걸이에 붙어 있는 것들이 쉽게 떨어지지 않도록 고쳐야 한다.

2. 오늘 과학 시간에 '박물관 전시실 꾸미기' 활동을 했다. 나는 지층 전시실을 만들었다. 서영이가 내 작품을 보고 지층을 고무찰흙으로 표현한 것이 잘된 점이라고 했다. 타이선은 사진 밑에 지층의 모양을 글로 써서 정리하면 더 좋겠다고 말했다.

〈2〉 의견이 적절한지 생각해 보기

1. 1) 역할 정하기예요.

2)

장위	하고 싶은 역할을 하자.
타이선	번호 순서대로 정하자.
서영	자기가 원하는 친구랑 짝을 하자.

2. 1)
• 회의 주제와 관련 있는지 생각해 봐야 해.
• 실천할 수 있는 내용인지 생각해 봐야 해.
• 의견과 근거가 관련 있는지 생각해 봐야 해.

2) 예

기준 / 의견	의견이 주제와 관련 있는가?	실천할 수 있는가?	의견과 근거가 관련 있는가?
하고 싶은 역할을 하자.	○	○	○
번호 순서대로 정하자.	○	○	△
자기가 원하는 친구랑 짝을 하자.	△	△	△

3. 예

기준 / 의견	의견이 주제와 관련 있는가?	실천할 수 있는가?	의견과 근거가 관련 있는가?
교실에서 공놀이를 하자.	○	△	○
책을 읽자.	○	○	○
체육 시간에 공놀이를 하자.	△	△	△

〈3〉 함께 해 봐요

2. 예 공은 둥근 모양이니까 보물로 적절해./교과서는 네모 모양이라 보물로 적절하지 않아./책은 네모 모양이니까 보물로 적절해.

〈4〉 되돌아보기

1.

고	려	가	리	설	별	사
난	기	사	판	명	희	구
장	회	고	도	단	수	과
단	이	부	하	랑	책	적
점	유	탕	여	택	광	절
황	체	익	자	육	다	하
관	련	짓	다	힘	상	다

2. 1) 판단은
 2) 적절한

3. 1) '점심밥을 먹을 때 누가 먼저 먹으면 좋을까?'예요.
 2)

장위	번호 순서대로 돌아가며 먹는다.
타이선	놀이에서 이긴 사람이 먼저 먹는다.

 3) 예 모둠별로 돌아가며 먹는다. 손을 먼저 씻고 온 사람이 먼저 먹는다.
 4) 예 번호 순서대로 돌아가며 먹자는 의견은 회의 주제와 관련이 있고 실천 가능해 적절한 의견이라고 생각해요./놀이에서 이긴 사람이 먼저 먹자는 밥을 먹기 위해 항상 놀이를 해야 해서 실천하기 힘든 의견이라 적절하지 않다고 생각해요.

15단원 · 이렇게 해결해요

〈1〉 과학적 문제 해결하기

1. 1) 플라스틱과 쇠를 분리하는 방법이에요.

2. 자석을 이용하여 압정을 골라낸다.

3.

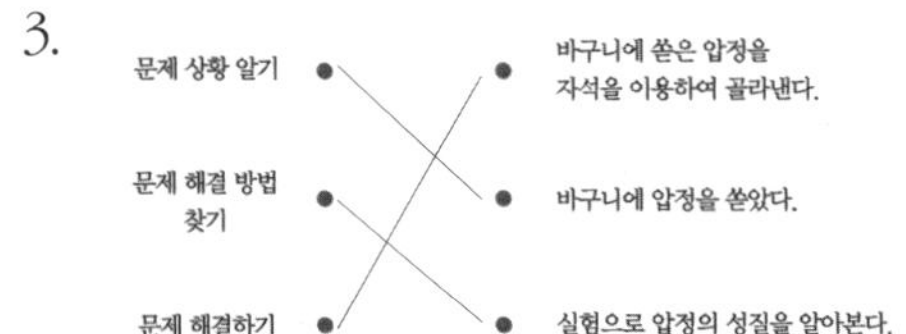

〈2〉 해결 방법을 제안하는 글 쓰기

1. 1) 쓰레기에 걸려서 넘어졌어요.
 2)

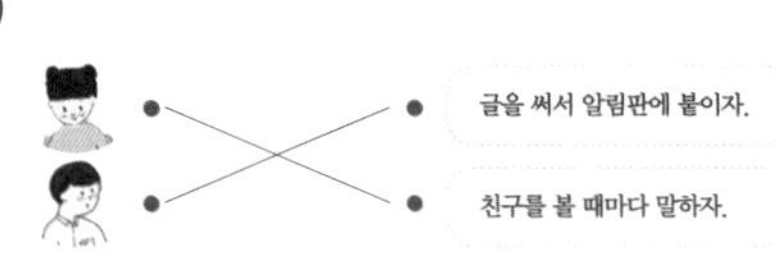

 3) 글을 써서 알림판에 붙이는 건 어때?

2. 1)

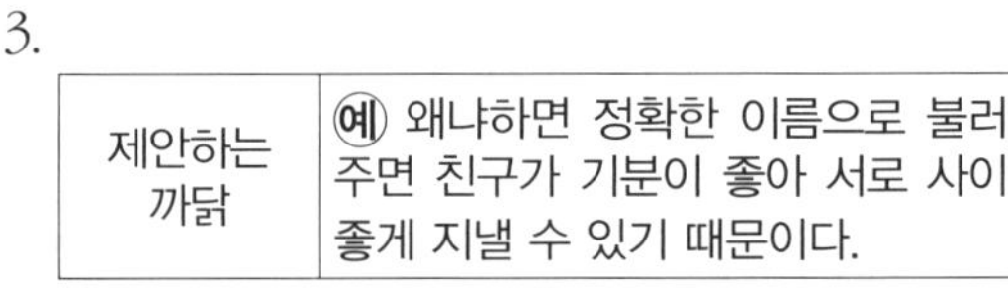
운동장에서 저와 함께 놀던 친구가 쓰레기에 걸려 넘어지는 일이 있었습니다. 다행히 제 친구는 다치지 않았습니다. 하지만 다른 친구들은 넘어져 다칠 수도 있습니다. 운동장에 쓰레기를 버리지 않았으면 좋겠습니다. 쓰레기를 버리지 않으면 운동장이 깨끗해져 안전하게 운동장을 사용할 수 있습니다.

 2) 운동장에 쓰레기를 버리지 않았으면 좋겠습니다.
 3) 쓰레기를 버리지 않으면 운동장이 깨끗해져 안전하게 운동장을 사용할 수 있습니다.

3.

제안하는 까닭	예 왜냐하면 정확한 이름으로 불러 주면 친구가 기분이 좋아 서로 사이 좋게 지낼 수 있기 때문이다.

예 요즘 친구들이 자기 이름을 놀려서 속상해하는 친구들이 많다. 친구의 이름을 정확하게 불렀으면 좋겠다. 왜냐하면 정확한 이름으로 불러 주면 친구가 기분이 좋아 서로 사이좋게 지낼 수 있기 때문이다.

〈3〉 함께 해 봐요

2. 예 일회용품 사용을 줄여야 해./분리수거를

해야 해. 왜냐하면 재활용을 해서 쓰레기의 양이 줄어들 수 있기 때문이야.

〈4〉 되돌아보기

1. 분리, 결과, 떠올리다, 효과적, 까닭

2. 1) 결과
   2) 떠올렸다
   3) 까닭
   4) 분리
   5) 효과적

3. ㉠ 요즘 스마트폰을 오래 해서 눈이 나빠지는 친구가 많아지고 있다. 눈이 나빠지지 않도록 스마트폰을 하는 시간을 정해 놓고 사용하자. 시간을 정해 놓고 스마트폰을 사용하면 사용하지 않는 동안 눈이 쉴 수 있는 시간이 생겨 눈이 나빠지지 않을 것이다.

16단원 · 나의 꿈

〈1〉 미래의 나 상상하기

2. 1) 6 / 중학교 1
   2) ㉠ 서른한 살이 된 나는 의사 선생님이 되어 아픈 환자들을 돌보고 있을 것이다.

〈2〉 상상하는 글 쓰기

1. ㉠ 아이들을 사랑하며 잘 가르칠 것이다. 학교에 과자를 하루에 한 봉지만 가지고 올 수 있게 할 것이다. 일기를 일주일에 한 편만 쓰게 할 것이다.

〈4〉 되돌아보기

1.

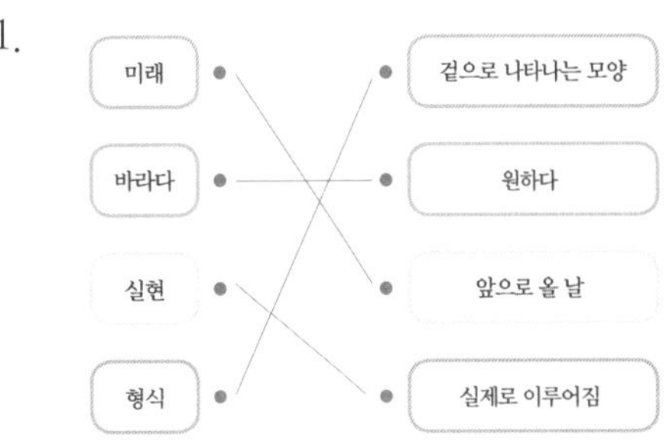

어휘 색인

ㄱ

간단 103, 104, 120
간추리다 104
감동적 91
결과 124, 137, 185
경험 30, 41, 48
계획 40, 49, 139
고려 176, 181
고르다 76, 77, 84
고체 105
공통점 53, 61
과정 25, 78, 185
관련 있다 85, 104, 175
교통수단 67
구별 161, 168
구분 163, 168
구하다 64, 65
그림지도 113
긋다 40, 55
기록 137, 144
기준 100, 104, 181
기체 105
까닭 188, 191
꾸미다 93, 173

ㄴ

나누다 18, 69, 91
나타나다 80, 81, 84
남다 115, 164
내용 93, 101, 129
느낌 19, 40, 199

ㄷ

다르다 53, 150, 180
다양하다 43, 44, 48
단원 77, 127, 144
달라지다 151, 152
대상 20, 137, 152
도구 20, 117, 151
독서 기록장 90
되돌아보다 76, 77, 84
떠올리다 48, 188, 204
뜻 28, 37, 128

ㅁ

메모 103, 112, 120
명절 136, 137, 144
모습 25, 45, 150
모양 52, 65, 115
무게 33, 147, 157
문제 해결 185
문제점 66, 69, 73
물살 42
물질 54, 78, 104
미래 196

ㅂ

바꾸다 93, 97
바탕 108, 128, 189
발달 128, 132
발생 124, 132
발표 16, 91, 198
방법 18, 43, 184
범위 79, 84, 138
변화 150, 151, 152
부분 17, 61, 160
분류 100, 109
분리 185
분석 161
비교 55, 61, 152
비슷하다 149, 157
비추다 31, 36

ㅅ

사례 197
사물 52, 173
사용 77, 102, 117
상류 44
상상 88, 195, 201
생각 그물 198
생김새 18, 159, 169
생활 151, 178
설명 17, 115, 121
성질 54, 80, 185
소개 162, 163
수행 평가 76
순서 22, 94, 174
실천 175, 177
실험 44, 148, 183
실현 196,
쓰임새 55

ㅇ

알아보다 17, 40, 103
액체 105
양력 136
양팔 저울 149
어떠하다 16, 29, 36
어림 33
여러 가지 19, 65, 149
역할 69, 115, 175
연결 72, 96, 156
연습 124, 132
예상 126, 185
완성 41, 181, 205
위치 113
유리 54, 192
음력 136
의견 161, 181
이동 수단 52
이야기 18, 95, 125
이어지다 89
이용 69, 113, 151
이유 31, 43, 186
인물 124, 125
일기 199, 200

ㅈ

자료 19, 137, 160
작성 139, 144
장단점 173
재료 55, 61
재미있다 21, 91
적절하다 173, 176
전체 161, 165
정리 41, 93, 173
정하다 130, 139
제시 67, 168, 187
제안 188, 191
조사 43, 137, 162
좋은 점 172, 196, 204
주변 15, 42, 154
주의 17, 43, 76
주제 16, 175, 199
준비 78, 82, 115
중요 17, 79, 103
직사각형 65
짐작 28, 124, 128
짜임새 165

ㅊ

차이점 53, 57
찾다 65, 137, 152
촌락 128
추리 30, 33

ㅌ

태도 77, 81
토의 69
특징 55, 114, 184

ㅍ

파악 31, 32, 36
판단 168, 176, 180
평가 76, 173
표시 113, 165
표현 65, 125, 188
풀다 64, 76, 184
필요 24, 130, 163

ㅎ

하류 44
해결 63, 176, 190
형식 200
화석 115
활동 16, 92, 150
회의 176
효과적 188

담당 연구원 ──

정혜선 국립국어원 학예연구사
박지수 국립국어원 연구원

집필진 ──

책임 집필
이병규 서울교육대학교 국어교육과 교수

공동 집필
박지순 연세대학교 글로벌인재학부 교수
손희연 서울교육대학교 국어교육과 교수
안찬원 서울창도초등학교 교사
오경숙 서강대학교 전인교육원 교수
이효정 국민대학교 교양대학 교수
김세현 서울명신초등학교 교사
김정은 서울가원초등학교 교사
박유현 연세대학교 언어연구교육원 한국어학당 강사
박창균 대구교육대학교 국어교육과 교수
박혜연 서울교대부설초등학교 교사
박효훈 서울원명초등학교 교사
신윤정 서울도림초등학교 교사
이은경 세종사이버대학교 한국어학과 교수
이현진 서울천일초등학교 교사
최근애 서울사근초등학교 교사
강수연 서울선곡초등학교 다문화언어 교원

초등학생을 위한
표준 한국어
학습 도구 3~4학년

초판 1쇄 인쇄 | 2019년 2월 25일
초판 3쇄 발행 | 2023년 11월 20일

기획 | 국립국어원
지은이 | 이병규 외
발행인 | 정은영
책임 편집 | 한미경
디자인 | 디자인붐
일러스트 | 우민혜, 민효인, 김채원
사진 제공 | 셔터스톡, 웅진주니어, 문화재청국가문화유산 포털

펴낸곳 | 마리북스
출판 등록 | 제2019-000292호
주소 | (04037) 서울시 마포구 양화로 59 화승리버스텔 503호

전화 | 02)336-0729
팩스 | 070)7610-2870
인쇄 | (주)금명문화

ISBN 978-89-94011-98-1(64710)
978-89-94011-96-7(64710) set